DU MÊME AUTEUR

Aux Éditions Gallimard

SOTOS, *roman*, 1993 (« Folio », n° *2708*).

ASSASSINS, *roman*, 1994 (« Folio », n° *2845*).

CRIMINELS, *roman*, 1996 (« Folio », n° *3135*).

SAINTE-BOB, *roman*, 1998 (« Folio », n° *3324*).

VERS CHEZ LES BLANCS, *roman*, 2000 (« Folio », n° *3574*).

ÇA, C'EST UN BAISER, *roman*, 2002 (« Folio », n° *4027*).

FRICTIONS, *roman*, 2003 (« Folio », n° *4178*).

IMPURETÉS, *roman*, 2005 (« Folio », n° *4400*).

MISE EN BOUCHE, *roman*, 2008 (« Folio », n° *4758*).

IMPARDONNABLES, *roman*, 2009.

Aux Éditions Futuropolis

LORSQUE LOU, 1992. *Illustrations de Miles Hyman.*

MISE EN BOUCHE, adaptation en bande dessinée, texte de Philippe Djian, dessin de Jean-Philippe Peyraud.

Aux Éditions Bernard Barrault

50 CONTRE 1, *histoires*, 1981.

BLEU COMME L'ENFER, *roman*, 1983.

ZONE ÉROGÈNE, *roman*, 1984.

37°2 LE MATIN, *roman*, 1985.

MAUDIT MANÈGE, *roman*, 1986.

ÉCHINE, *roman*, 1988.

CROCODILES, *histoires*, 1989.

LENT DEHORS, *roman*, 1991 (repris en « Folio », n° *2437*).

Suite des œuvres de Philippe Djian en fin de volume

INCIDENCES

PHILIPPE DJIAN

INCIDENCES

roman

nrf

GALLIMARD

S'il y avait une chose dont il était encore capable, à cinquante-trois ans, par un grand soir d'hiver que blanchissait la lune et après avoir bu trois bouteilles d'un vin chilien particulièrement fort, c'était d'emprunter la route qui longeait la corniche le pied au plancher.

Il conduisait une Fiat 500, au moteur fatigué, mais qui aurait sans doute eu la force de le jeter au fond de la vallée s'il n'avait gardé sur le volant une main ferme — et sur la route des yeux suffisamment ouverts.

L'air glacé s'engouffrait par le carreau baissé. Les pneus miaulaient méthodiquement dans les épingles à cheveux. Beaucoup d'imbéciles s'étaient tués sur cette route au fil des ans mais, pour sa part, il continuait de la braver.

Jamais il ne s'était résolu à passer la nuit en ville, quoi qu'il eût fait ou bu ou pris — jamais. Personne n'avait jamais pu l'empêcher de prendre sa voiture et de rentrer chez lui. Pas cette route. Pas cette maudite route, en tout cas.

Il avait une jeune femme pour passagère, apparemment ivre elle aussi. Il lui jeta un coup d'œil et s'émerveilla une fois encore qu'un vieux prof en veston et possédant une si petite voiture eût encore l'heur de séduire une étudiante — et de l'emporter dans son repaire afin d'en jouir au moins jusqu'au petit matin.

Il avait compris, bien des années plus tôt, qu'il était temps pour lui de profiter de certains avantages inhérents à la profession — à défaut d'obtenir de plus hautes récompenses qu'il ne fallait plus espérer. Un beau matin, par un étrange phénomène, l'une de ses élèves s'était mise à briller sous ses yeux — de l'intérieur, tel un lampion, d'une lueur magnifique —, une fille absolument infichue d'écrire deux lignes, au demeurant, pratiquement dénuée d'intérêt, d'ordinaire si fade, mais il s'était soudain senti aveuglé et frappé d'un souffle brûlant tandis qu'il raillait un peu férocement devant les autres un travail qu'elle avait rendu. Et cette fille s'était révélée la première d'une assez longue série et l'une des plus agréables partenaires sexuelles rencontrées au cours de son existence.

Multiplier les rapports avec de jeunes étudiantes, au bout du compte, n'avait ainsi rien d'une épreuve ni d'une maigre consolation. Des types se faisaient sauter au milieu des foules pour bien moins que ça.

Celle qui l'accompagnait ce soir-là, et dont le nom lui échappait, venait de s'inscrire à son atelier d'écriture et il n'avait pas cherché une seconde à lutter contre l'attirance qu'elle exerçait sur lui — qu'elle exerçait outrageusement sur lui. Pourquoi lutter? Le week-end s'annonçait glacé, propice au feu de bois, à l'indolence. Des lèvres boudeuses. Des hanches profondes. Il fallait juste prier pour qu'elle soit en état le moment venu.

Elle ne semblait guère consciente. La ceinture l'empêchait de s'effondrer d'un côté ou de l'autre. Il allait devoir préparer du café en arrivant.

Les bas-côtés étaient blancs, les sous-bois d'un noir d'encre. Il roulait au milieu de la chaussée, mâchoires serrées, à cheval sur la ligne blanche qui se tordait sous ses yeux comme un serpent affamé dans la lune rousse.

Elle avait vingt-trois ans. À l'aube, il s'aperçut qu'elle était sans vie, froide.

Passé un instant de stupeur, il rejeta brusquement les draps, bondit hors du lit et s'en alla coller son oreille à la porte. La maison était silencieuse. Il écouta attentivement. Puis il se tourna de nouveau vers le lit et observa le corps de la fille. Au moins n'y avait-il pas de sang. C'était heureux. Sous la forte lumière qui pénétrait la chambre, elle paraissait absolument intacte, laiteuse et lisse.

Il s'habilla sans plus attendre. Il se souvenait qu'il avait pratiquement dû la porter de la voiture jusqu'au lit — aussi vaillante qu'un sac de pommes de terre et susceptible d'être malade d'un instant à l'autre. Quand

11

soudain, parvenue à la chambre, elle s'était réveillée. Ravie d'être là, chez lui — *enfin* chez lui. Avait arraché ses vêtements, envoyé promener sa culotte à travers la pièce. Il n'avait aucune idée de ce qui s'était passé ensuite, mais une chose était sûre : ils l'avaient fait. Aucun doute.

Ces filles étaient toutes plus formidables les unes que les autres — et celle-ci, pour ainsi dire une beauté malgré des jambes un peu courtes, n'avait pas failli à la règle. Même dans ces conditions, terriblement morte et de plus en plus froide, elle demeurait très attirante. Il baissa la tête.

Des ennuis se profilaient à l'horizon. De gros ennuis. Et rien ne ramènerait cette pauvre fille à la vie, d'une manière ou d'une autre. On ne pouvait plus rien faire pour elle.

Le soleil se levait. La cime des arbres scintillait. Le sol était recouvert d'un épais tapis de neige. Se débarrasser du corps semblait être la chose la plus sensée à faire dans l'immédiat. Qui avait envie de quelconque démêlé avec la police dans ce pays ? Qui croyait encore qu'il suffisait d'être innocent pour être laissé en paix ? Il ouvrit la fenêtre.

Les bois avoisinants étaient muets et tranquilles. Des corneilles tournoyaient dans le ciel, des buses volaient au ralenti, chassaient. En contrebas le lac sortait de l'ombre et se transformait en miroir où glissaient déjà les premiers bateaux à aubes — empennés comme des flèches. Sa sœur apparut en robe de chambre dans le jardin, avec sa première cigarette de la journée. Elle leva la tête dans sa direction.

« Hello, Marianne, fit-il en agitant la main. Belle journée, dis-moi.

— Marc. Nom de Dieu. Tu as fait un tel boucan, hier soir.

— Du boucan ? Tu veux dire, à cause de mon silencieux ?

— Il y avait quelqu'un avec toi.

— Quelqu'un ? Avec moi ? Non, tu as rêvé. La télé, sans doute. »

Une plaque de neige glissa du toit et atterrit avec le bruit feutré d'une lourde meringue. Il haussa les épaules et s'éloigna de la fenêtre. Durant une seconde, et bien que l'on fût encore à une quinzaine de jours du printemps, il avait cru déceler un léger parfum dans l'air — comme si de premières fleurs s'étaient ouvertes au cours de la nuit —, mais peut-être s'était-il trompé. Il ne sentait plus rien à présent. La glace et la neige s'étaient refermées sur eux.

La fille était froide comme un jambon, déjà presque grise. Il prit une profonde inspiration et se mit à rassembler les affaires de la malheureuse.

Puis il entreprit de la rhabiller, hésitant un instant à conserver la culotte de coton blanc dont le fond dégageait un léger parfum d'urine, rajustant le soutien-gorge qu'elle n'avait pas quitté, lui renfilant ses bas. Il revoyait à présent quelques scènes de la soirée à laquelle ils avaient participé avant de prendre le chemin du chalet, aussi ivres et défaits l'un que l'autre, aussi peu conscients qu'ils étaient.

À présent, le soleil commençait à lécher l'autre rive, les forêts sortaient de l'obscurité en de longs incendies. L'étudiante était entièrement épilée. Quelle tristesse de la voir étendue ainsi, désormais roide, inutile, à jamais basculée dans l'autre monde. Après la séance qu'elle lui avait accordée.

Un début d'érection récompensa son travail et ses pensées. Mais son emploi du temps était trop serré et il referma les jambes de la jeune femme. Il venait d'entendre la machine à café, en bas. La voie serait libre dans une dizaine de minutes. Il en profita pour avaler une poignée d'aspirines avant que son crâne ne menace d'éclater.

Il vérifia qu'il n'oubliait rien, ses clés, son téléphone, ses cartes, son argent, son cartable, son chapeau, ses lunettes à verres progressifs, etc., puis il la jeta sur son épaule et descendit sur la pointe des pieds, chargé de son lugubre fardeau.

Une chance qu'il fût encore relativement en forme, à son âge, car elle devait bien peser une soixantaine de kilos et n'y mettait pas beaucoup du sien — surtout dans l'escalier où il ne s'agissait pas de louper une marche.

Traversant la cuisine, il attrapa une pomme en guise de petit déjeuner. Dehors, le soleil brillait, la neige craquait et se pulvérisait comme sucre sous les pas. Il faisait beau et froid. Il appuya la fille contre la portière et entreprit de libérer la Fiat de sa coquille de glace à l'aide d'un grattoir à manche offert par Total. Il essaya de penser à son cours, au portrait de John Gardner qu'il comptait leur faire — fût-il accusé de traître à la littérature française et d'ultra-américaniste forcené.

Qui étaient les véritables traîtres? Qui cachait la vérité? Les ennuis commencèrent lorsqu'il fallut faire monter la jeune femme à bord. Les jambes gênaient. Il y avait si peu de place. Il fallut forcer. Tordre les os. À chaque instant, Marianne pouvait apparaître et demander ce qu'il était en train de fabriquer. Et qu'aurait-il pu lui répondre? À tout moment, des voisins pouvaient passer sur la route, des joggers pouvaient s'arrêter et l'interpeller.

À force d'insister, de multiplier ses efforts, de s'arc-bouter, quelque chose céda — dont il refusa d'analyser clairement la nature — et il parvint à faire entrer l'étudiante à l'intérieur de la Fiat. Il jeta un coup d'œil à sa montre et songea qu'il ne devait pas traîner. Il donna deux petits coups d'avertisseur avant de se mettre en route — une de ces vaseuses coutumes qu'ils avaient établies au fil du temps, Marianne et lui, et qui les désolaient également l'un et l'autre mais perduraient bien que sa sœur n'apparût plus à la fenêtre depuis longtemps et qu'il ne jetât plus le moindre coup d'œil dans le rétroviseur.

Depuis quelques jours, il se demandait s'il n'avait pas perdu un morceau du silencieux, voire le pot tout entier. Certes, la Fiat 500 n'avait jamais fait preuve de remarquables qualités en matière de discrétion — il avait renoncé à l'idée de pouvoir s'acheter un jour une Audi, de préférence l'A8, envers et contre tout —, mais on aurait dit à présent qu'un tracteur, qu'une moto à échappement libre ou un avion à réaction s'élançaient dans les parages. Il allait devoir faire quelque chose, remédier. En ville, ces derniers temps, on commençait à lever la tête sur son passage et le moment n'allait pas tarder où il se ferait épingler et peut-être serait mis en joue, et menotté, et conduit au poste avec une arme sur la tempe — quarante-huit heures plus tôt, un professeur du département d'anglais avait été plaqué au sol et rudoyé en pleine rue pour une histoire de points qui manquaient à son permis —, et de nos jours, même Human Rights Watch ne protestait plus pour si peu, plus personne ne prêtait attention à ça. Sinon, tôt ou tard, Marianne se chargerait de lui faire savoir qu'elle en avait par-dessus la tête. Il fallait y compter. Elle n'allait pas tolérer ses virées nocturnes encore très longtemps — à moins qu'il ne s'équipât d'un vélo dont il graisserait régulièrement la chaîne.

À mi-chemin, il se gara sur le bas-côté, derrière un bosquet couvert de neige. L'air était vif, chaque respiration produisait un jet de vapeur blanche qui tourbillonnait dans la lumière du soleil. Il prit le temps de rouler le bas de son pantalon. Ses joues étaient déjà rouges. On ne pouvait pas en dire autant de celles de sa passagère. Avant de s'occuper d'elle, il consulta ses messages. Vérifia qu'une partie du monde n'avait pas été rasée dans la nuit ou infestée par un virus, mais les journaux n'annonçaient rien de tel. Au menu beau temps, froid et sec. Sauvagerie ordinaire ici et là.

Il opina brièvement du chef et se prépara mentalement à la montée. Le sentier était raide, escarpé, à peine praticable, certains passages acrobatiques. Il allait arriver là-haut totalement en nage, à bout de souffle, couvert de sueur glacée, et il réapparaîtrait devant ses étudiants un peu plus froissé, débraillé qu'il ne l'eût souhaité — mais les événements en décidaient autrement et tout homme devait s'y plier.

L'étudiante avait viré au gris-bleu, non qu'il fît particulièrement froid. « Quelle misère, songea-t-il en se penchant sur elle et l'attrapant sous les aisselles, le cœur serré. Quelle tragédie c'était, quand on y pensait. Fauchée si jeune. Comme c'était absurde. Comme c'était révoltant. Et comme c'était un vilain tour qu'on lui jouait, à lui aussi. Comme c'était un sale tour qu'on lui jouait d'avoir fait claquer cette pauvre fille sous son toit, dans son lit. Pourquoi ne lui avait-on pas mis un poignard entre les mains, pour faire bonne mesure ? Comme c'était rude. Il grimaça, puis il la chargea sur ses épaules.

Marianne et lui avaient découvert cette grotte par hasard, autrefois, un jour qu'il avait failli soudainement y glisser. Il était resté suspendu au-dessus du vide, au-dessus d'un trou profond qui béait dans un escarpement moussu, à l'abri des regards, et il ne devait la vie qu'à sa sœur qui l'avait empoigné et hissé de toutes ses forces. Puis ils avaient repris leur souffle et étaient retournés en tremblant vers la brèche dont les mâchoires s'ouvraient au ras du sol et par lesquelles aurait facilement pu disparaître un cheval ou un bœuf.

Très vite, un filet de sueur glacée entama sa descente entre ses omoplates. Décidément, il fumait trop. Il allait devoir affronter ce problème avec sérieux, ça ne faisait plus aucun doute. Ses poumons brûlaient. Ses mollets brûlaient. Encore quelques années à ce régime et c'était sa langue qui pendrait, ses genoux qui racleraient le sol.

Quoi qu'il en soit, la première chose qu'il fit en arrivant, après avoir poussé le corps de la jeune femme par-dessus bord — et tendu inutilement l'oreille —, fut d'en allumer une. Ses Winston étaient ses meilleures alliées dans la vie. Avec cet air frais, au parfum de neige herbeuse, on atteignait presque la félicité, il pouvait en témoigner. Il examina l'extrémité rougeoyante avec un demi-sourire. À présent, le silence était si profond autour de lui qu'il entendait le léger grésillement du tabac se consumant. L'hiver, le silence de ces bois qui couvraient les monts environnants était à peine croyable, vibrant.

Il avait beau porter de bonnes chaussures de marche, des Galibier, ses chaussettes étaient trempées, de même que son bas de pantalon qui du beige clair était passé au marron foncé. Il s'était également pas mal sali durant son escalade —, par deux fois glissant sur une plaque de glace ou se frayant un passage difficile entre les blocs de pierre et les branches basses, encombré de son fardeau. Mais il n'avait plus le temps de rentrer chez lui pour se changer. C'était stupide de sa part. Il aurait pu penser qu'il ne serait pas en mesure de grimper là-haut avec cette fille sur l'épaule et d'en redescendre aussi blanc et frais qu'un jeune lys. Incidemment, il se revit en short, à peine adolescent, couvert de poussière, de terre séchée. Marianne et lui. Directement conduits à la baignoire. Passés au jet sans ménagement par cette horrible femme.

*

Barbara. Il avait retrouvé son prénom deux jours plus tard, lorsque les choses avaient commencé à bouger. Barbara. Ce prénom parfaitement stupide qu'il s'était empressé d'oublier car il ne rendait pas justice à cette fille qui, en peu de temps, avait montré d'assez bonnes dispositions en classe et n'écrivait pas trop mal. Il l'avait aussitôt repérée. Blonde à l'air sage, timide — ce genre-là, mais dont le cœur brûlait comme une poignée de braises. Il se leva et jeta un coup d'œil par la fenêtre de son bureau. Il gardait de Barbara un souvenir ému. Rares étaient les étudiants dont on pouvait tirer un travail, qui portaient en eux une promesse. Durant toutes ces années, il en avait vu passer un grand nombre, mais on pouvait compter sur les doigts d'une main ceux qui seraient en mesure de produire un travail consistant. Il fallait un minimum de grâce. On l'avait ou on ne l'avait pas. Lui-même ne l'avait pas. Il s'était trouvé à un cheveu de se hisser sur la terre ferme, à un rien de tâter de l'autre rive. Mais si l'on ne possédait pas un minimum de grâce au départ, il était inutile d'insister — le premier discours qu'il tenait régulièrement en début d'année mettait en garde contre un excès d'optimisme et de confiance en soi, à l'aune du nombre d'élus à l'arrivée. Même les strapontins étaient chers. Même les bons scénaristes étaient rares. En une quinzaine d'années, il n'avait croisé que deux ou trois élus, deux ou trois qui en étaient et avaient illuminé ses classes. Petites gouttes dans l'océan. Tant de rareté époustouflait — et rendait humble quand on avait pour métier d'enseigner l'écriture et que l'on tombait sur un joyau.

Il suivit des yeux l'officier de police qui venait de lui laisser sa carte et traversait le parking réservé aux professeurs titulaires et aux handicapés moteurs. La tentation avait été forte. Un court instant, la tentation l'avait effleuré de dire la vérité, de déclarer qu'ils avaient quitté la soirée ensemble et l'avaient terminée dans son lit. Mais il avait repris ses esprits à temps. La stricte vérité n'aurait avancé personne.

Les arbres commençaient à bourgeonner. Le policier exécuta un demi-tour ombrageux et sonore sur le parking et retraversa le campus à quatre-vingts à l'heure. Non qu'il se fût trouvé irrité par leur entrevue, au contraire, ils avaient sympathisé, mais sa radio venait de lui apprendre qu'une voiture-bélier avait enfoncé la devanture d'une bijouterie, à deux pas du centre. Des millions d'euros s'étaient envolés.

Quel métier captivant. L'approche du printemps rendait sans doute l'exercice encore plus agréable — on conduisait le coude à la portière, on pouvait s'arrêter pour boire un verre sans avoir de comptes à rendre à qui que ce fût, on pouvait prendre de jolies femmes en filature, déjeuner aux frais de la princesse, porter une arme, et cetera, avait expliqué le policier. Un métier d'aventure, de plein air.

Quoi qu'il en soit, personne ne les avait vus sortir ensemble, ce soir-là, cette fameuse Barbara et lui. Il s'agissait d'une précaution élémentaire qu'il avait toujours prise dès lors qu'il se lançait dans ce genre de relation. Coucher avec une étudiante était encore très mal perçu aujourd'hui et il n'était pas rare qu'on y jouât sa place après être passé en conseil de discipline — il rompait le plus souvent avant que les complications ne surviennent, avant qu'on ne les surprenne enlacés, avant que ne se relâche la prudence. Il avait ses habitudes ici. Il n'avait aucune envie de mettre son poste en danger pour ce qu'il considérait comme des distractions, comme des occupations périphériques.

Le ciel brillait. Il rangea ses affaires, coinça sous son bras un paquet de copies, puis se dirigea vers la sortie tandis que le soleil montait au zénith. Il avala un sandwich à la cafétéria car il y avait peu de chances que Marianne leur eût préparé un pot-au-feu. Sur le coup, la mort de Barbara lui avait nettement coupé l'appétit, mais ce matin il se sentait mieux, la maîtrise dont il avait fait preuve devant le policier, l'aplomb, l'impeccable prestation qu'il avait donnée méritaient une récompense — bien que l'épreuve ne se révélât pas trop difficile car il se trouvait sur son territoire, derrière son bureau de professeur, et le policier s'était senti en position inférieure. Par périodes, Marianne se nourrissait exclusivement de fromage blanc à 0 %, comme c'était le cas en ce moment, et pour une raison qu'il n'aurait pu expliquer — pas plus qu'elle, d'ailleurs, mais peu importait.

Muni de quelques pièces, il marcha vers la machine à café. Il alluma une cigarette. Il n'en était pas à sa première amende pour tabagisme dans un lieu public mais il n'y pouvait rien. On l'avait empoisonné. On lui avait administré la plus puissante des drogues, celle qui provoquait la plus profonde dépendance. Ces hommes que l'on condamnait, ces fabricants de cigarettes, ces agents du mal, ces authentiques salauds, étaient de purs génies, de fantastiques chimistes.

Il tournait le dos à la salle et regardait voler des mouettes au-dessus du lac tandis que la machine moulait son café, qu'apparaissait un gobelet suivi d'un manche d'esquimau en guise de petite cuillère, lorsqu'une main lui effleura l'épaule.

Il était très rare qu'il puisse en terminer une sans

qu'une fille de vingt ans ne lui fasse remarquer en roulant des yeux horrifiés qu'elle ne tenait pas à développer un cancer de la gorge à cause de lui. Il soupira et se tourna, avec un demi-sourire. Sachant qu'il ne donnait pas le bon exemple — mais baignant dans la chère nicotine de la tête aux pieds. Il se trouva devant une femme assez belle, proche de la cinquantaine. Il était rare de rencontrer ce genre de phénomène sur le campus, mais c'était bien agréable — l'overdose de visages lisses finissait par se déclencher tôt ou tard.

« Je suis la mère de Barbara, déclara-t-elle.

— Oh, désolé. Enchanté », répondit-il en lui tendant promptement la main.

Nombreuses étaient les étudiantes qui ne résistaient pas au désir de mettre leur maman dans la confidence — les eût-il instamment priées de tenir leur langue. Garder un secret, pour la plupart, semblait bien au-dessus de leurs faibles forces. Les ennuis qu'il avait frôlés ne venaient pas d'ailleurs. Il fut aussitôt sur ses gardes — une mère lui avait un jour lancé le contenu de son verre au visage alors qu'il déjeunait tranquillement près de l'embarcadère.

Elle lui toucha le bras en disant « S'il vous plaît, asseyons-nous, puis-je vous parler ? ».

Il leva les yeux sur elle, un instant. Il n'y avait pas grand monde, mais elle l'entraîna vers la table la plus éloignée. Il faisait chaud derrière les baies malgré le vent froid qui soufflait dehors. « Je ne veux pas vous ennuyer, lui dit-elle.

— Pas du tout, fit-il. Vous ne m'ennuyez pas du tout. Qu'est-ce que vous prenez ? »

Il commanda des cafés. « Vous êtes son professeur. Elle m'a parlé de vous. »

Il essayait de lire dans le regard de cette femme. Que voulait-elle ? Que savait-elle ? Il essayait de percer son esprit sans y parvenir mais il remarqua au passage que son menton avait un bel ovale. Étonnant comme les femmes, aujourd'hui, parvenaient à se maintenir en forme — il n'y avait qu'à voir Sharon Stone.

« Parlez-moi d'elle. De ma fille. Barbara.

— Que je vous en parle ?

— Oui, parlez-moi d'elle, je vous en prie. »

Plus tard, tandis qu'il remontait chez lui en conduisant sagement — souriant aux radars et se laissant doubler par deux fringants motards de la police de la route auxquels il adressa un léger salut de la tête —, il repensait à la conversation qu'il avait eue avec la mère de Barbara. La pauvre se faisait un sang d'encre. Elle se demandait si un malheur n'était pas arrivé.

Il avait tâché de la rassurer. Mais sans trop insister, sans trop l'inonder d'espoir. Il fallait, malheureusement, toujours se préparer au pire, avait-il glissé en lui tenant le poignet — qu'elle avait très fin, très blanc. « Je suis content d'elle, s'était-il empressé d'ajouter. Je suis ravi de cette occasion de pouvoir vous le dire. Je suis très content d'elle. J'en attends beaucoup. »

Aurait-il pu dire autre chose ? Il s'arrêta à mi-parcours, se gara derrière le talus encore gelé et inspecta les alentours avant d'entreprendre le parcours qu'il avait emprunté deux jours plus tôt avec le corps de Barbara en travers de l'épaule. Il grimaça doucement à l'évocation de cette image. Mais quand la fatalité vous tient, se disait-il, résister sert-il à quelque chose, quand la fatalité vous tient?

Il faisait un peu moins froid que l'autre fois. Le printemps donnait l'impression d'arriver au grand galop. On apercevait quelques perce-neige, ici ou là.

« Que je vous parle d'elle? avait-il répliqué. Vous la connaissez certainement mieux que moi. Ah ah. Ah ah ah, j'en suis sûr », avait-il ricané. Beaucoup l'auraient pensé — qu'une mère connaissait mieux sa fille que le premier professeur venu. Les cafés luisaient et fumaient dans les tasses comme des objets volants.

« Eh bien non, fit-elle, justement. Justement. Je ne la connais pas.

— Ma foi, vous savez, qui peut se vanter de les connaître?

— Écoutez... je ne connais Barbara que depuis quelques mois. »

Il hésita un instant. « Dans ce cas, c'est différent », fit-il sur le mode de la plaisanterie.

Il avait souhaité employer un ton humoristique pour répondre à la déconcertante déclaration de cette Myriam Machinchose qui s'était présentée à la hâte, mais il prit rapidement conscience que cette femme ne disait rien d'autre que ce qu'elle disait.

«Vous savez, ce sont des choses qui arrivent, s'était-elle défendue. Ne me regardez pas comme ça.»

Bien qu'il voyageât léger, cette fois, il atteignit le sommet de l'éminence à bout de souffle. C'était le prix de la tranquillité, l'assurance que l'endroit n'attirait pas les foules. Il décida de s'asseoir une minute et il fuma une cigarette qu'il trouva absolument délicieuse mélangée à l'air frais, sur fond de sapins couverts de glace. Il se sentait calme et détendu. La journée avait été bien remplie. Il pouvait se vanter d'avoir écarté les soupçons qui auraient pu se développer à son égard. Ses dernières craintes s'étaient envolées à présent. Personne ne les avait vus ensemble. Personne ne connaissait la nature de leurs relations, pas même la mère — Barbara semblait bien avoir tenu sa langue. Il pouvait respirer. S'abandonner au plaisir du fantastique tabac blond.

Son cœur battait. Il se tenait à quelques mètres de la sombre crevasse moussue — une faille à l'obscurité glacée, silencieuse. Mais ouf, quel soulagement. Il se félicitait de s'être toujours soumis à une stricte discipline, d'avoir toujours pris un certain nombre de précautions élémentaires avec les étudiantes. Il pouvait respirer à présent. Le système de défense avait fonctionné. Le principe de sécurité avait payé.

Il fallait se mettre à plat ventre si l'on voulait s'approcher du bord et jeter un coup d'œil en bas, dans ce puits de noirceur inconnue. Lorsqu'il repensait à la chute qu'il avait failli autrefois y faire, sa peau se hérissait. Un jour, sa sœur et lui avaient trouvé le cadavre d'un chevreuil stoppé à mi-course par un étroit promontoire sur lequel il s'était sans doute brisé l'échine. L'été suivant, il n'en restait plus rien, pas même un os.

Le corps de Barbara avait connu le même sort. Bien qu'il demeurât dans l'ombre, en contrebas, on le distinguait parfaitement bien — arrêté dans sa chute par un étroit surplomb de roche humide en forme de bec-de-cane.

Il resta allongé un moment, la tête au-dessus du vide, s'interrogeant sur la conduite à tenir. Sans doute les chances que l'œil d'un chasseur, d'un promeneur ou de qui que ce fût tombât sur la dépouille mortelle de l'étudiante étaient-elles minces. Mais elles n'étaient pas nulles. Des corbeaux volaient en cercle dans le ciel bleu et il s'y intéressa un instant avant de reconsidérer le problème que posait l'éventuelle découverte du corps par n'importe quel égaré en goguette ou abominable ramasseur de champignons.

Il y avait un moyen de l'atteindre. Il y avait un moyen de descendre dans cette crevasse si l'on regardait bien où l'on mettait les pieds — autant qu'il s'en souvenait — et ainsi atteindre le corps de Barbara. Il suffisait d'être prudent, de vérifier ses points d'appui, de prendre son temps pour descendre. Idem pour remonter. Mais l'effort valait la peine.

Il fallait faire les choses proprement. Son instinct l'avait conduit à se débarrasser du corps et se débarrasser du corps signifiait le faire disparaître — le sous-

traire aux regards, en l'occurrence fussent-ils impro-
bables. Or, ainsi qu'il venait de s'en rendre compte, et
ainsi qu'il l'avait craint, le travail n'était fait qu'à
moitié. Il replia ses lunettes et les rangea. Voilà ce qui
arrivait, songea-t-il, lorsque l'on faisait les choses à
toute allure. Sans doute était-il très en retard ce matin-
là et s'était-il promptement débarrassé de la jeune fille
et était-il reparti sans se retourner pour aller donner
son cours sur John Gardner et la littérature morale,
mais il ne devait pas se chercher d'excuses. Il n'avait
pas fait preuve de beaucoup d'habileté, voilà tout, et
l'on payait souvent le prix de ses maladresses, au bout
du compte.

La paroi était raide et glissante. Mais par chance, il
portait une bonne paire de chaussures et savait à peu
près comment s'y prendre — il avait servi dans les
chasseurs alpins. Quelques pierres s'éboulaient sous
ses pas et valdinguaient dans le vide. Pour ne pas
prendre de risques, il se plaquait au maximum contre
la paroi et descendait avec prudence. La trouille venait
avec l'âge, songeait-il en progressant vers le corps de
Barbara, la trouille venait avec la conscience de la
mort.

Lorsqu'il prit pied sur la corniche, il constata qu'il
semblait s'être roulé dans la boue. Un vrai désastre. Il
grimaça. Puis il se tourna vers le corps de l'étudiante
dont le teint avait viré au gris violacé. Elle semblait en
équilibre sur une sorte d'éperon.

Il pouvait juste l'atteindre du bout du pied, en tendant la jambe. Il la poussa. De la pointe du pied. Il s'agissait de la faire basculer afin qu'elle reprît sa course vers les ténèbres, mais la tâche n'était pas aussi simple qu'elle paraissait. Quelque chose bloquait. Quelque chose coinçait. Une sueur froide lui coula dans les reins cependant qu'il tâchait rageusement de précipiter le corps au cœur de la fosse, qu'il couinait et jurait par tous les diables en ahanant. Et tout cela brisait le silence de la forêt que rien ne troublait d'ordinaire, sinon le cri d'un oiseau dans le lointain ou le bruissement des feuilles — aimable plaisanterie comparée aux divers grognements et lamentations qui jaillissaient à présent du fond de cette grotte obscure, transformée en chambre d'échos.

Puis, au moment où l'impuissance allait l'anéantir, où il jetait ses dernières forces dans la bataille, où il était réduit à s'accrocher du bout des doigts à une racine, un grand bruit de déchirement se fit entendre et le corps de la fille bascula dans le vide.

« Hello ? lança une voix au-dessus de sa tête. Hello ? »

Il se figea, son cœur s'arrêta de battre.

« Hello ? fit de nouveau la voix. Il y a quelqu'un ? Est-ce que tout va bien ? »

Il se plaqua dans l'ombre de la paroi et se mordit les lèvres. Il fallait réfléchir vite. Choisir la bonne option.

« Dites, vous m'entendez ? Est-ce que ça va ? »

Il comprit aussitôt à quel genre il avait affaire. Se dissimuler plus longtemps ne servirait à rien. Le genre à faire traverser un aveugle de force, à se mêler de ce qui ne le regarde pas. La majorité des professeurs de gauche étaient de ce calibre-là. « R.A.S. Tout va bien », répondit-il en s'avançant dans la lumière.

« Vous êtes sûr que tout va bien ? »

*

Richard Olso était le directeur du département de littérature et c'était tout ce qui manquait. Que Richard fût aussi peu que ce soit impliqué dans cette histoire. La dernière chose que l'on pouvait souhaiter.

Avait-il vu quelque chose ? Avait-il remarqué quelque chose ?

« Marc ? Mais qu'est-ce que vous faites là, mon vieux ? Qu'est-ce que vous fichiez dans ce trou ? »

Ce type passait son temps à vous considérer d'un œil soupçonneux.

« Je suis comme vous, répondit-il en se hissant hors de la faille. J'ai réagi comme vous. J'ai cru entendre un cri, un appel, mais finalement, je me suis trompé, il n'y a rien. Je me suis coincé le pied en remontant. En tout cas tout va bien, je crois.

— Alors sans doute que c'était vous.

— Moi ?

— Sans doute que c'était vous que j'ai entendu. Je m'étais arrêté en voyant votre voiture et j'ai entendu le ramdam que vous faisiez.

— J'aime bien me promener par ici, répondit-il en

30

se tournant vers les bois dont les cimes scintillaient dans le soleil orangé. C'était notre territoire, autrefois. Nous l'avons ratissé de long en large, Marianne et moi. Nos parents tenaient à vivre à la campagne, notre mère était végétarienne, entre autres. J'aime bien venir par ici dès les premiers jours du printemps. À certaines heures, la lumière devient admirable. »

La manière dont Richard avait obtenu la direction du département de littérature constituait un véritable scandale. Richard était plus jeune que lui, avait moins d'ancienneté dans ces murs et ne donnait qu'un misérable cours de littérature comparée, mais c'était Richard que l'on avait nommé et non lui, si écœurant que ce fût.

La seule chose qui rendait leur cohabitation acceptable, qui rétablissait la balance, équilibrait le fléau, était la sympathie qu'il s'attirait chez les étudiantes à la différence de Richard qu'elles ne pouvaient pas sacquer. « Surtout depuis qu'il s'est laissé pousser la barbe, ricanaient-elles. Ce petit menton pointu que ça lui fait. Hi hi. » Cette stupide barbichette, en effet. Rien de plus exact. Tout à fait d'accord avec elles.

« Lorsque j'étais plus jeune, déclara-t-il tandis qu'ils descendaient vers les voitures, je me sentais attiré par la spéléologie. Je crois que ça m'est resté. » À force d'avoir été enfermé à la cave, songea-t-il en évitant les plaques de glace qui parsemaient le chemin. Ou dans la buanderie avec le charbon et les pommes de terre tandis que les autres familles se chauffaient à l'électricité ou au gaz depuis longtemps. Il frissonna.

Marianne avait allumé de nombreux encens au rez-de-chaussée, ce qui était son droit puisqu'il s'agissait de son territoire, mais au fil du temps, de loin en loin, les parfums musqués avaient cédé la place à une forte odeur d'église. Elle se moquait des remarques assez tièdes qu'il avait émises à ce propos et semblait prendre un malin plaisir à empester la maison jusqu'à l'étage, où il vivait. L'atmosphère était passablement enfumée. Quand il entra, il n'avait pas encore pendu son anorak dans le hall — son anorak couvert de terre — qu'il toussa.

Elle se tenait dans le salon. L'après-midi touchait à sa fin, la lumière dorait et jouait dans les volutes. Elle portait une de ses chemises. Une de ses chemises à lui, une chemise à rayures qu'il avait cherchée en vain.

« Ça ne t'irrite pas la gorge ? » demanda-t-il.

Elle haussa vaguement les épaules, plongée dans l'examen de documents qu'elle paraphait à la vitesse d'une mitraillette.

« Je suis tombé sur Richard, déclara-t-il. Je ne sais pas ce que ce con fabriquait dans les bois, mais je suis tombé sur lui. C'est à croire qu'il me suit, qu'il me surveille.

— Vraiment ? Pourquoi ferait-il ça ?

— Hein ? Est-ce que je sais ? Peut-être a-t-il en tête de me faire virer ? Peut-être cherche-t-il à me prendre

32

en faute? Je ne sais pas si je vais supporter ça encore longtemps. Nous savons bien qu'ils veulent réduire les effectifs, supprimer des gens, ce n'est pas un mystère, n'est-ce pas. Pourquoi iraient-ils contre le vent, sur ce putain de campus? Pardon. Excuse-moi d'être grossier. Mais tu sais très bien de quoi je parle. Ce président que nous avons depuis l'année dernière, cette petite lopette de Martinelli qui dit amen à tout ce qui vient de Richard. Je sais, excuse-moi d'être grossier. Mais c'est la vérité. Richard pourrait facilement avoir ma tête. Il ne le fait pas parce que tu es là. C'est tout. Je ne me fais pas la moindre illusion. »

Il grimaça en raison de l'âcreté de l'air. « Je sais que tu as entendu. Ne fais pas celle qui n'a pas entendu.

— Que veux-tu que j'y fasse? répondit-elle sans lever les yeux. Je ne suis pas responsable de ce genre de choses. »

Il poussa un petit ricanement. « Je t'en prie. Ne te fatigue pas », fit-il.

Elle soupira. « Sincèrement, est-ce que tu te moques de moi? répliqua-t-elle en posant son stylo. Si nous parlions de tes manèges. Crois-tu que je sois sourde et aveugle? »

Il la considéra durant quelques secondes — de longs et lourds cheveux noirs, un regard brillant, déterminé, une lèvre pâle, il ne fallait pas compter avoir le dessus. Quelques heures plus tôt, il avait tenu le poignet — fin, blanc — de la mère de Barbara et incongrûment la scène se déroula de nouveau dans son esprit et lui fit perdre le fil — en s'imposant de façon surprenante, comme le faux pas qui précipite vers l'abîme.

Entre-temps, Marianne était retournée à ses écritures sous le nuage parfumé à la myrrhe qui s'échappait d'une poignée de baguettes plantées dans le sable et roulait au plafond. « Je sais ce que je fais, déclara-t-elle. J'ai mes raisons. »

Autrefois, il sortait avec elle pour lui montrer qu'aucun mauvais esprit ne planait au-dessus de la maison, mais il ne prenait plus cette peine aujourd'hui. Marianne était grande, à présent.

Il n'était pas le seul à s'en être aperçu. Richard avait intégré l'université deux ans plus tôt et s'était aussitôt mis une seule et unique idée en tête : devenir l'amant de Marianne, la posséder, et depuis lors il ne cessait de tourner autour d'elle. À sa manière lamentable.

Laquelle Marianne résistait, semblait-il, autant qu'il pouvait s'en rendre compte. Jusqu'à preuve du contraire. Nul besoin d'être très grand clerc pour découvrir que ce type ne valait rien, mais les femmes avaient parfois des réactions incompréhensibles, incohérentes — dont il convenait de se méfier.

Il décida de changer de conversation car le sujet avait le don de mettre le feu aux poudres et il raconta son entrevue avec le policier dans son bureau, qui poursuivait son enquête au sujet de cette étudiante mystérieusement disparue.

« Je crois que la police piétine, tu sais. C'est mon

impression, en tout cas. Cette Barbara semble bien s'être, hum…, volatilisée. »

Elle leva les yeux sur lui. Il demeura impavide. S'il s'était senti nerveux au cours des quarante-huit heures qui avaient suivi le décès de la fille, il en allait différemment à présent, il avait retrouvé son calme, contrôlait le moindre muscle de son visage et se confectionnait un masque à toute épreuve sans faire le moindre effort, dès que la situation le commandait. « Nous aurions pu nous passer de cette publicité, reprit-il, tu ne crois pas ? Pour notre image. Je me demande s'il n'aurait pas mieux valu qu'un ouragan traverse le campus. »

Elle rangea ses affaires. Elle avait une réunion avec Martinelli et tâcherait d'en savoir davantage sur cette rumeur de suppression de postes — s'il voulait bien ne pas rester dans ses jambes et la laisser se préparer. Il la suivit cependant jusqu'à l'entrée de sa chambre — mais s'immobilisa sur le seuil. « Je te conseille, poursuivit-il, d'avoir une conversation avec notre délégué syndical. Je pense qu'il te dira si c'est une hallucination. Écoute-le bien. Ça risque d'être édifiant. » Elle laissa glisser son pantalon sur le sol et enfila une jupe. « Ne comptons pas sur leurs scrupules », fit-il avec l'esprit ailleurs.

*

Elle avait épousé le père de Barbara six mois plus tôt, vers la mi-septembre. Ils avaient passé Noël

35

ensemble puis il était parti pour l'Afghanistan d'où il donnait quelques rares nouvelles. Ce n'était pas très facile avec Barbara, déclara-t-elle, mais l'une et l'autre faisaient des efforts, l'horizon n'était pas sombre, chaque jour apportait sa petite pierre et la joignait à l'édifice.

« Écoutez, Myriam, je vois très bien de quoi vous voulez parler, fit-il avec conviction. J'imagine très bien ce que vous pouvez ressentir. Votre immense frustration. » Cette fois, la cafétéria était noire de monde et vrombissait comme une ruche. « Quoi qu'il en soit, laissez-moi vous dire quelque chose, poursuivit-il, laissez-moi vous dire qu'elle aurait sans doute fait un excellent écrivain, j'en suis persuadé, je vous le dis sincèrement, je me devais de vous le dire. Nous allons passer à côté de quelque chose. »

Il n'avait pas l'habitude de tenir ce genre de déclarations à propos d'un étudiant — les occasions étaient si rares que l'on finissait par oublier qu'elles existaient — mais la pauvre femme semblait avide de réconfort et Barbara avait bel et bien révélé ses capacités d'écrivain. D'assez bon écrivain. « Je ne dis pas ça pour vous faire plaisir, ajouta-t-il en lui touchant de nouveau le poignet. Il faut absolument que je vous imprime ça. Vous allez voir comme c'était bien fichu. Vous allez voir le potentiel qu'elle avait. Comment c'était ficelé. »

Myriam habitait en ville, vers le lac. Il passa devant chez elle le lendemain matin et glissa la vingtaine de feuillets dans sa boîte — le dernier travail que Barbara

36

lui avait rendu, d'un remarquable niveau pour une jeune femme. Les arbres bourgeonnaient au-dessus des trottoirs, les hortensias, quelques particules de pollen commençaient à tournoyer dans l'air. Cette fille serait devenue grande autour de 2020, il en faisait le pari, il ne lui aurait pas fallu dix ans pour parvenir à maturité, peut-être cinq ou six — devenir un bon écrivain avant trente ans, voilà bien de la pure fiction à de rares exceptions près, trente ans c'est le minimum du minimum expliquait-il d'emblée à ses étudiants, est-ce que vous croyez qu'on apprend à jouer avec des mots en un jour, ou en cent, que la grâce va vous tomber instantanément du ciel, écoutez-moi, je vais être franc avec vous, comptez vingt ans, comptez vingt ans avant de commencer à entendre votre propre voix, de quelque manière que vous vous y preniez, et donc, bref, s'il y en a quelques-uns parmi vous qui nourrissaient de vagues illusions à cet égard, je suis heureux de pouvoir les rassurer, je leur dis mes amis n'espérez rien de sérieux, n'attendez rien de puissant, rien de renversant, enfin rien qui vaille vraiment la peine avant vingt ans, sachez-le. Je parle de deux décennies. Écoutez, ceux qui n'ont pas le goût du sacrifice peuvent abandonner tout de suite. Bon, j'ai écrit mon nom en haut du tableau. Inutile de le chercher dans Wikipedia. Je ne suis pas Michel Houellebecq. Désolé.

Il trouva une note de Richard sur son bureau. Elle avait trait à une évaluation de printemps, totalement informelle, totalement illusoire, mais Richard en imposait régulièrement de semblables, comme une petite vengeance, comme une petite punition qu'il infligeait au frère, détestable, de celle qui se refusait à lui. C'était lamentable.

Il fuma une cigarette en prenant quelques notes pour la corvée qui allait suivre — en matière de littérature contemporaine, Richard Olso avait un goût infect. Incroyable mais vrai. Authentique. L'homme qu'on avait placé à la tête du département de littérature.

Comment avait-on pu nommer un imbécile pareil à sa place ? Comment ne pas se poser la question ? « Est-ce que je peux fumer ? » demanda-t-il tandis que Richard secouait la tête et lui indiquait une chaise. Malgré l'interdiction, il en alluma une. Richard aurait pu le faire expulser de son bureau par des vigiles, mais il ne le faisait pas — et cela semblait nuire à la santé de son estomac de se retenir, du moins si l'on en jugeait par le nombre de plaquettes d'Inipomp® cabossées qui parsemaient son chemin, du 40 mg.

Cette fois, cependant, il apparut bien vite que l'objet de la convocation visait un autre but que celui d'exercer ce fameux pouvoir. « Qui donc est cette femme ? demanda Richard. Cette rousse de la cafétéria.

— Cette rousse ? Vous la voyez rousse ? La belle-mère de Barbara. Barbara, l'étudiante disparue.

— Je sais qui est Barbara. Je crois savoir tout ce qui

se passe ici, mon vieux. Bref. Qu'est-ce qu'elle veut ? Qu'est-ce qu'elle veut, dites-moi...

— Son mari est en mission en Afghanistan. Nous avons envoyé des soldats là-bas. Les talibans ont carrément repris le pays.

— Écoutez, très bien. Écoutez-moi. J'aimerais vous inviter à garder vos distances avec elle. Méfions-nous. Vous n'avez pas idée de la somme de soucis qu'une mère ou même une belle-mère peut nous causer. Elle n'a qu'à piquer une crise, provoquer un scandale, et notre cote pourrait dégringoler en flèche. Vous savez ce que ça signifie en termes d'inscriptions. Le contexte ne s'y prête guère, je crois. Nous devons tous nous battre afin de préserver notre outil de travail.

— Oui, je le sais très bien. Mais entendons-nous, Richard. Quelle réputation vous me faites. Non, là vous charriez.

— Écoutez, vous êtes un charmeur, Marc. Vous n'êtes qu'un fichu charmeur, voilà tout. Ne dites pas le contraire. »

Ils se regardèrent. Il écrasa sa cigarette après avoir haussé les épaules. On ne pouvait pas tout avoir, dans la vie. Certes, les émoluments que percevait un directeur de département étaient plus confortables et le pouvoir que la fonction procurait, surtout en ces temps incertains, était sans doute bien agréable, mais plaire aux femmes, tourner la tête de la veuve, de l'étudiante, ou de la ménagère, détenir ce don, être du goût de ces putains de femmes avant même d'ouvrir la bouche, sans fournir le moindre effort, se disait-il, voilà qui donnait à réfléchir.

Il n'aurait pas changé sa place contre celle de Richard. Il n'était pas utile d'y réfléchir durant des heures. Depuis une dizaine d'années, sa vie avait changé. Sa vie avait exécuté un virage à cent quatre-vingts degrés depuis le jour où il s'était aperçu combien cette chose que l'on croyait compliquée se révélait facile. Les choses lui étaient apparues différemment. Et quel soulagement cela avait été. Quelle seconde naissance, à proprement parler.

De là à penser qu'il n'était pas contre l'extension de son terrain de chasse aux mères de famille, aux parents d'élèves et assimilés, il y avait ce pas que Richard franchissait allègrement. Mais son avis importait peu. Il n'aurait certainement pas changé sa place contre celle de Richard Olso, que la frustration avait aigri.

« Vous les attirez comme des mouches, pas vrai ? ricana Richard. Ne me dites pas le contraire. Vous les séduisez à tour de bras, n'est-ce pas ? »

Il faisait un temps de printemps ensoleillé, vif et froid, et le paysage que l'on découvrait derrière la baie, ces immenses sapins, ces reflets sur le lac, ces neiges tardives sur les hauteurs, invitait davantage à la contemplation qu'au désir de se prendre la tête avec le directeur du département, les fins voiliers filant sur les flots argentés, les mouettes, les hors-bords.

« Richard..., fit-il avec un sourire forcé. Richard, un

de ces jours, je vous collerai un procès en diffamation, vous savez. Ça sera réglé.

— Quoi? gloussa l'autre en feignant l'hébétude. Est-ce que j'invente quelque chose? Quoi? Osez dire que ce n'est pas vrai. »

Il était temps de fumer une nouvelle cigarette. Parfois, pour une Winston, il se serait roulé par terre.

« S'il vous plaît, tempéra Richard. Je vais vous relâcher dans une minute. S'il vous plaît. »

Il céda, rempocha son paquet. Il pouvait encore tenir quelques minutes. Retrouver du travail n'était jamais facile et il savait qu'il y avait certaines limites à ne pas franchir avec Richard s'il ne voulait pas aller grossir le flot des naufragés. Si révoltant que ce fût.

« En tout cas, mon vieux, n'allez pas nous attirer des ennuis. Les mauvaises langues sont à l'affût. Il arrivera un moment où je ne pourrai plus vous soutenir. Marianne le sait. Par exemple, soyez pris à faire le joli cœur avec la mère d'une élève — disparue, a fortiori —, et je ne pourrai rien pour vous, ce qui s'appelle rien. Et vous vous ferez pincer un jour ou l'autre, c'est une certitude. Je sais. Nous observons une certaine discipline, ici. Je l'admets volontiers. Mais nous ne sommes pas là pour changer des règles qui ont fait leurs preuves jusqu'à présent. Dites-vous bien ça. Et nous attendons de tous les professeurs qu'ils donnent l'exemple, mon vieux, vous le savez bien.

— Est-ce que l'on me reproche quelque chose?

Est-ce qu'inviter une femme à boire un café mérite le conseil de discipline ?

— Marc, d'accord, vous n'êtes pas un mauvais bougre, mais je vous connais mieux que vous ne le pensez. Je m'efforce de vous mettre en garde. Je ne veux pas que Marianne puisse me reprocher de ne pas vous avoir averti. Vous êtes votre propre ennemi, mon vieux, oh oui, je vous assure que vous l'êtes. »

Puis Marianne se gara et elle traversa le parking, une pile de dossiers sous chaque bras, d'un pas rapide. Richard et lui la suivirent des yeux. Elle se dirigea tout droit vers les bâtiments administratifs.

Il en profita pour prendre rapidement congé de Richard qui hochait doucement la tête en direction de Marianne. Les professeurs pouvaient s'accoupler aux professeurs, ça ne posait aucun problème, l'exercice était même amplement pratiqué dans les environs, voire encouragé, mais en revanche les professeurs ne pouvaient pas s'accoupler avec les étudiants ni avec les parents d'élèves. C'était la loi. Personne ne voulait d'ennuis. Personne ne songeait à mélanger les genres. Aucun membre sensé de la communauté.

Au milieu de l'après-midi, il avala une soupe à la cafétéria et, lorsqu'il releva les yeux, elle était là, installée en face de lui. Il en resta bouche bée un instant, tandis qu'elle esquissait un sourire. « Bien sûr que non, vous ne me dérangez pas, dit-il, mais non pas du tout. Est-ce que je peux faire quelque chose ? Vous prenez quoi ? Je vous conseille la soupe de potiron, elle est délicieuse. » Il la regarda se diriger d'un pas léger vers la pâle nourriture munie d'un plateau en fer-blanc. En général, il fallait se lever de bonne heure pour avoir une soupe digne de ce nom dans cette cafétéria — malgré toutes les réclamations qu'il avait adressées à l'administration, en pure perte, bien entendu —, en dehors de quelques éclairs, de quelques pures étincelles, comme la soupe en question.

Myriam s'en servit un grand bol. Il faisait froid dehors, la soupe était parfaitement indiquée. Elle avait attendu longtemps, avant de se marier, très longtemps, et lorsqu'elle s'était décidée, à l'approche de la cinquantaine, lorsqu'elle s'était enfin décidée à franchir le pas, il avait fallu que son mari soit envoyé à l'autre bout du monde. À peine trois mois plus tard. Et c'était tout. Il devait courir entre les balles au moment où elle lui parlait. Elle se demandait si elle devait considérer la chose comme une punition.

« Vous comprenez, n'est-ce pas ? fit-elle en fixant son potage.

— J'en ferais autant, croyez-moi. Je harcèlerais les gens, soyez-en sûre, je vous le promets. Attendez, c'est complètement naturel. » Il se pencha et lui toucha le poignet. Elle leva les yeux. « Vous avez lu ce qu'elle a écrit ? reprit-il. C'est la maîtrise qui est surprenante. Le bon dosage de la lenteur et de la rapidité. Du net et du flou. C'est très bluffant, vous savez. Je m'apprêtais à lui mettre un B+. Le courant est vite passé entre nous. Je disais parfois aux autres : "Prenez exemple sur elle, faites donc un peu preuve d'oreille quand vous écrivez. N'importe quel crétin est capable de raconter une histoire. La seule affaire est une affaire de rythme, de couleur, de sonorité. Prenez exemple sur votre camarade. Ne vous trompez pas de cible. Soyez de bons peintres et de bons musiciens avant tout." Malheureusement, ce genre de discours a pour effet de les endormir. »

Il la regarda porter la première cuillerée à sa bouche. Elle hésita.

« Vous vous dites : "Cette femme n'a-t-elle donc rien d'autre à faire de ses journées ?" Vous vous dites : "Que gagne-t-elle à faire ça ?" Je suis incapable de vous répondre. »

Il fut tenté de lui toucher à nouveau le poignet afin de vérifier qu'elle produisait bien cette sorte de doux courant électrique, tout à fait étonnant, qui se communiquait jusqu'à son épaule dès qu'il posait un doigt sur elle.

« Je crois que je me sens un peu seule, finit-elle par soupirer. Vous devez me trouver insupportable.

— Mais aussi, quelle idée d'épouser un sergent, dites-moi. Un sergent. Le monde est à feu et à sang, non ? Personnellement, je ne m'engagerais pas dans la carrière militaire en ce moment. Pas question. Même si j'avais vingt ans. Surtout si j'avais vingt ans. En revanche, c'est du travail assuré, j'entends bien. Je sais que ça n'est pas rien. Nous le savons tous. Il n'y a qu'à voir dans quel état est l'industrie automobile. Dans quel état sont nos retraites.

— J'en arrive à me parler toute seule. Sinon, je laisse la radio allumée. Savez-vous que le visage de mon mari est en train de s'effacer de mes souvenirs ? Pouvez-vous imaginer une telle chose ? Pouvez-vous croire ça une minute ? Je pense que Barbara empêchait ça. Qu'il ne s'évapore totalement de mon esprit. Que le processus ne parvienne à son terme. Elle constituait le lien. »

*

On ne pouvait pas épouser un militaire et ensuite se plaindre que le bonhomme ne rentrait pas à heures fixes. Ainsi s'exprimait Marianne tandis que le soleil se couchait et frémissait sur le lac. Ils débarrassaient. Ils avaient dîné tôt car Marianne voulait se remettre au travail. Ils firent la vaisselle. Elle lavait et il rinçait. Ensuite ils passèrent au salon pour terminer la bouteille de chardonnay. Elle repiqua quelques encens.

« Tout le monde vous a vus, à la cafétéria.

— Bien sûr. Nous n'étions pas en train de nous cacher. »

Avant de s'asseoir, elle retapa quelques coussins du canapé. Assez fermement. Puis elle tendit la main. Il lui apporta son verre. Il avait allumé un feu dans la cheminée cependant qu'il l'avait entretenue de sa rencontre avec Myriam et les flammes crépitaient à présent.

« Où veux-tu encore en venir ? soupira-t-il en prenant place à côté d'elle. Je ne peux plus adresser la parole à une femme sans que tu t'imagines Dieu sait quoi. Tu ne crois pas que tu dépasses les bornes ? »

Pour toute réponse, elle lui tendit ses pieds. Elle déclara qu'elle était debout depuis l'aube, que ses chevilles avaient gonflé — elles supportaient mal le chauffage par le sol. Il les massa. Lorsqu'il sentit qu'elle se décontractait, il lui fit remarquer que le sort de cette femme n'était guère enviable. « Je ne suis pas étonné qu'elle recherche la conversation. Ça ne me surprend pas une seconde. Elle est évidemment perdue, elle ne veut rien, elle veut simplement parler de Barbara, rien de plus. J'imagine que ça lui fait du bien. Simplement d'en parler. Rien d'autre. J'aurais dû l'envoyer promener ? Lui tourner le dos ? Qui donc aurait eu le cœur de faire ça ? Mets-toi à ma place une minute. »

Il était rare qu'elle bronchât quand il s'occupait de ses chevilles. Elle fermait les yeux et son visage prenait une expression bien plus douce, qui la rendait presque méconnaissable — tant elle paraissait sombre et tendue, la plupart du temps. Pour l'heure, elle flottait. Sa satisfaction était grande. Si bien qu'elle ne lui chercha pas davantage querelle pour le moment et s'abandonna à ses manipulations — il avait un réel don pour ça. Dehors, le vent soufflait dans l'obscurité argentée, les étoiles scintillaient sur le lac.

Il sortit chercher une bûche. Frissonna. Emplit ses poumons d'air glacé. Longuement. Au loin, en contrebas, à l'ouest de la ville, on apercevait les lumières du campus, puis celles de l'aéroport, côté Suisse, puis la noirceur absolue des champs de betteraves et enfin la découpe des montagnes sur fond de nuit, leurs nez blancs, encore frigorifiés. Il alluma une cigarette. Le mélange d'air pur à la nicotine, pratiqué à la nuit tombée, était de loin ce que l'on pouvait espérer de mieux en matière de subtile intensité — quelle somptueuse machine habitions-nous quelquefois, se disait-il alors.

Heureusement, Marianne fumait aussi. L'odeur de tabac froid ne les dérangeait ni l'un ni l'autre lorsqu'ils se réveillaient dans cette maison dont la moindre parcelle était imprégnée de particules nicotiniques — surtout l'hiver, car ils ne se disputaient pas pour ouvrir les fenêtres, aérer, et surtout ces deux derniers hivers, pour des raisons d'économie. Bientôt, se chauffer allait devenir un luxe. Le seul petit souci provenait du fait qu'elle fumait des brunes. Chaque nuage qu'elle recrachait avait la forme et la densité d'un gros oreiller lisse qui mettait des heures à se dissoudre dans l'air, mais il refusait de se montrer mauvais joueur, ou procédurier, ou mesquin dans cette affaire. Ils étaient deux à empester la maison. À parts égales.

Il chargea la bûche sur son épaule en prenant garde au tour de reins qui menaçait naturellement les hommes au-delà de cinquante ans et pouvait transformer le plus vaillant d'entre eux en respectable momie. Le lendemain du jour où il avait porté Barbara vers sa dernière demeure, il avait eu quelques alertes, quelques flèches lui avaient transpercé les reins — au premier pied qu'il avait posé hors de son lit, une seconde fois durant le trajet en voiture, puis tandis qu'il écrivait au tableau, ou encore dans la soirée en voulant examiner la machine à laver qui refusait de fonctionner. Il avait poussé un petit cri en sortant la tête du hublot.

Il entra, secoua ses pieds. Marianne avait mis ses lunettes et s'était plongée dans ses travaux d'écriture, la cigarette aux lèvres. Il arrangea le feu sous la bûche. Il se tourna et présenta ses reins à la chaleur des flammes. Le torchon mouillé et enfourné trois minutes dans le micro-ondes constituait sans doute un meilleur remède, mais il n'en avait pas encore besoin, le mal rôdait mais ne l'avait pas encore touché —Voltarène®, Di-Antalvic® et Tétrazépam® étaient ses trois religions en cas de crise. Chardonnay aussi.

Elle leva les yeux sur lui à l'instant où, se jugeant à point, il amorçait un pas vers l'escalier qui menait à son étage. C'était souvent lorsqu'il tournait les talons qu'elle le rattrapait. Elle n'avait pas toujours été comme ça, mais vieillir n'arrangeait personne.

Elle prit un air étonné. « Tu ne viens pas m'embrasser ? » fit-elle.

Il s'avança et se pencha. Elle n'avait rien trouvé de mieux pour s'assurer qu'il n'était pas marqué d'une odeur particulière, d'un parfum qui l'aurait aussitôt trahi, mais il feignit de ne pas s'apercevoir qu'elle le reniflait furtivement.

N'avait-elle jamais rien nourri d'autre que de simples doutes, à son égard? L'avait-elle jamais attrapé la main dans le sac? Il avait appris à être discret. Il faisait aussi très attention à ne pas s'enivrer de ses réussites successives et restait extrêmement vigilant. Sa dernière aventure le prouvait. Rien ne permettait de remonter jusqu'à lui car il s'était montré d'une extrême prudence jusqu'au bout, et le résultat était là. Rien ne permettait de remonter jusqu'à lui. Au fond, rien n'était plus simple que d'adopter une bonne discipline, que de suivre quelques règles essentielles. Personne ne souhaitait avoir des ennuis, être victime d'une erreur. Il avait fait la seule chose qu'il y avait à faire et refusait de se sentir coupable de quoi que ce fût en la circonstance. Il n'y avait rien qu'il regrettât. Rien ne résistait à une scrupuleuse analyse de la situation. Il avait adopté le bon réflexe. Rien n'avait jamais fait revenir un mort. Une morte, en l'occurrence.

Par instants, le vent grognait comme un chien couvert de puces dans la cheminée et les baies tremblaient légèrement. Il l'embrassa sur la tempe. Elle resta figée durant trois secondes, le stylo en l'air.

Il en profita pour regagner sa chambre. Il était presque minuit. La lumière de la pièce dévoilait les sapins les plus proches, ployant sous les rafales, les câbles électriques vibrant comme des fouets, les rosiers malmenés, les spasmes de la haie, la raideur de la manche à air en forme de poisson-chat qu'il avait installée à la suite d'une commande sur internet qu'on lui avait adressée par erreur et qu'il avait nié avoir reçue — ayant déballé l'objet, l'ayant examiné et, ravi, l'ayant immédiatement fait sien.

Il alluma une dernière cigarette, pensant à celle qu'il allumerait le lendemain matin et qui lui faisait déjà envie. Un homme pouvait bien avoir quelques vices, estimait-il, et sans avoir à en rougir. Les épreuves que l'on traversait au cours d'une vie valaient bien ça.

Il demeura quelques minutes debout, immobile, regardant le vent souffler tandis que le dernier tiers de *The Purple Bottle* résonnait dans ses écouteurs.

Puis son téléphone sonna. Il s'agissait d'elle. De Myriam. Un peu tard pour parler de Barbara, songea-t-il, mais il essayait de se mettre à sa place. Il n'avait pas cours le lendemain et donc aucune raison de se lever tôt. Il laissa sonner. Bloqua sa respiration. Regarda sa montre. Au bout d'une minute et vingt secondes, juste avant que ses poumons n'explosent, il décrocha.

Il y avait une chose tout à fait étonnante, déconcertante. Quelques heures plus tôt, Richard l'avait qualifié de charmeur et il fallait se rendre à l'évidence. Son succès auprès des femmes allait grandissant. Quelle différence entre l'époque où coucher avec une étudiante pouvait prendre une année scolaire entière tant il était maladroit, effacé, transparent, et aujourd'hui où une femme l'appelait au milieu de la nuit après seulement trois rendez-vous informels et murmurait au bout du fil.

À maintes reprises, il avait cherché dans le miroir ce qui avait changé en lui, mais ce qu'il voyait n'était pas très encourageant. Des cheveux manquaient, du poil grisâtre commençait à pousser à son menton, des rides se creusaient, ses yeux pleuraient dans le froid, il en passait, si bien que tout semblait aller dans le mauvais sens, or curieusement il n'en était rien. Tout semblait au contraire plus facile. Il avait pris une réelle assurance en ce domaine. Parfois, il se sentait presque nonchalant.

« Non, Myriam, vous ne me dérangez pas », lui avait-il dit, et il s'était installé sur son lit avec le téléphone à l'oreille, dans la pénombre, les reins calés contre un coussin, et il en avait profité pour nettoyer ses lunettes. Elle avait une voix agréable, assez basse. Elle lui demanda s'il faisait quelque chose de spécial, enfin là, maintenant, en ce moment précis, et il répondit oui. Ce qui provoqua un long blanc sur la ligne, entrecoupé de bruits de respiration. Puis elle murmura : « Très bien. Dans ce cas, bonsoir. » Et elle raccrocha.

*

Il l'apercevait ici et là, de temps en temps, traversant le campus, ou encore en ville, dans un lieu public, mais elle se tenait à distance — elle avait abandonné son chariot plein plutôt que de le côtoyer aux caisses d'une supérette et était même descendue d'un bus, une autre fois. Ils n'échangeaient que de furtifs coups d'œil. Quand l'un esquissait un vague sourire, l'autre ne répondait pas, et vice versa.

Il en vint à croire qu'il s'était trompé et ne possédait pas le sex-appeal présumé, ce qui le jeta dans un profond trouble mêlé de tristesse.

Un matin, Richard Olso entra dans sa classe et lui glissa quelques mots à l'oreille. En un bond, il fut dehors, s'élança vers le bâtiment central où flottait le drapeau de l'Union et le blason de l'université. L'agitation provenait de la bibliothèque.

Les pompiers étaient sur place. Ils rangeaient leur matériel. Marianne était enveloppée dans une couverture qui rappelait le papier d'aluminium, pâle comme une morte, recroquevillée sur une chaise. Un évanouissement ? Bien sûr. Quoi d'autre. Quand on ne se nourrissait que de fromage blanc à 0 %, que pouvait-il vous arriver d'autre ? Comment ne pas finir par tomber dans les pommes et manquer de se fracasser le crâne du haut d'un escabeau ?

Il la serra contre son épaule. Elle n'y pouvait rien si elle était incapable d'avaler autre chose. Il était inutile de l'accabler. Il remercia les pompiers. « Faites-lui donc manger un bon steak », déclara le plus jeune en rangeant la trousse de secours. Il opina. La main de Marianne dans la sienne restait froide et rappelait de sombres événements, perdus dans la jungle de leur enfance. « Quoi qu'il en soit, tout est bien qui finit bien, déclara Richard en la couvant des yeux. Mais Marianne, vous nous avez fait une de ces peurs, j'aime autant vous le dire. Oh, soyez gentille, ne recommencez jamais ça, d'accord ? »

Elle lui adressa un signe rassurant d'une main blanche, encore faible, penaude, tandis que son frère lui glissait une cigarette entre les lèvres et la conduisait résolument vers le parking. Le printemps s'installait depuis deux ou trois jours, les mimosas fleurissaient, les hortensias.

« N'en faisons pas une montagne, déclara-t-elle tandis qu'il s'engageait sur la route. Et ne nous envoie pas dans le décor, s'il te plaît. »

Il ricana. « Je me demande ce que vous faisiez ensemble à la bibliothèque.

— Pur hasard. Ne sois pas idiot. »

Il rétrograda, fit rugir le moteur avant de se lancer dans un virage serré, sans garde-fou, et les amortisseurs gémirent. Le soleil était déjà haut et des oiseaux s'envolaient sur leur passage, comme fuyant devant une armée en marche, et piaillant à leur tour.

« Je vais avoir mal au cœur, dit-elle.

— Hein ? Pardon ?

— Si tu continues à rouler aussi vite. Je vais avoir mal au cœur.

— Hein ? »

Il se gara aussitôt sur le bas-côté, descendit en vitesse, contourna la Fiat en trois bonds et ouvrit sa portière. « Marianne, s'il te plaît. Ne vomis pas dans la voiture. S'il te plaît. Fais un effort, cette fois. Penche-toi. Veux-tu que je t'aide à te pencher ? »

Elle déclina sa proposition. Elle avait une très vilaine bosse au-dessus de la tempe. Elle lui fit signe que ça allait. « Vraiment ? fit-il avec une lueur d'espoir dans la voix. C'est passé ? Comment te sens-tu ? Tu en es sûre ? Sûre-sûre ? » Dans sa couverture de survie, on aurait dit une pocharde cinquantenaire qu'il aurait ramassée sur le bord de la route.

Les bois alentour étaient silencieux, le moteur en refroidissant cliquetait comme un squelette. Il décida de la laisser respirer. Un peu d'air ne pouvait pas lui faire de mal — bien qu'une rafale de vent pût l'emporter dans l'état de faiblesse où elle se trouvait, visiblement. Il avait un peu honte de s'être montré aussi peu vigilant vis-à-vis d'elle, de n'avoir pas vu qu'elle filait encore un mauvais coton — et Dieu sait que le 0 % était une bonne indication, un bon marqueur, mais il était resté aveugle, il avait eu d'autres chats à fouetter.

Il aurait dû s'apercevoir de tout ça, qu'elle était pâle, qu'elle s'asseyait plus volontiers que d'habitude, qu'elle parlait moins, mais il avait eu l'esprit ailleurs, définitivement.

« Est-ce que ça va ? Ça va aller ? demanda-t-il.

— Mais bien sûr, fit-elle sur un ton agacé. Donne-moi une cigarette. »

Il en alluma deux et lui en tendit une. L'air était

froid mais le soleil brillait. Une régate de lilliputiens se disputait sur le lac. « Je vais commander japonais, d'accord ? » Il composa le numéro du japonais sans attendre sa réponse.

Une fois arrivés, il lui donna le bras durant le trajet qui menait du siège passager de la Fiat au canapé du salon — qu'il débarrassa promptement de ses revues, de ses programmes télé, de ses machins littéraires, afin qu'elle s'étendît.

Elle avança qu'elle se sentait à présent dans une forme raisonnable et n'avait besoin d'aucune aide et qu'il n'était pas encore l'heure de se coucher. Il déclara qu'elle en avait assez fait pour aujourd'hui, qu'elle n'avait pas d'autre tâche que celle de se reposer jusqu'au soir et qu'il ne voulait rien entendre d'autre, qu'elle ne devait même pas essayer.

« Manger un peu de poisson cru te fera du bien, déclara-t-il en l'installant au milieu des coussins. De la viande crue aussi, remarque. » Ils s'accordèrent une cigarette. Ils restèrent silencieux tandis que le soleil se couchait derrière les crêtes sombres et inondait l'horizon d'un brouillard doré.

« Je vais aller à la pharmacie. Je vais te rapporter des films. Que dirais-tu d'une bonne série ? » Ils avaient regardé *Twin Peaks* ensemble, dans de semblables circonstances, certain été dont elle était sortie affaiblie et tout à fait mûre pour de longues séances de thalassothérapie à La Baule ou de calmes promenades en Toscane, entièrement à leurs frais. La crise avait emporté tout ça et il se demandait ce qu'il ferait si la santé de Marianne exigeait de nouvelles dépenses de cet ordre. Le nombre de leurs cartes bleues avait fortement diminué — Diner's Club venait de lui retirer la sienne et HSBC refusait de reconsidérer la ligne de crédit qu'elle leur accordait à l'époque où le monde roulait sur l'or.

Cette réflexion le laissa rêveur, perplexe. Puis le livreur de Matsuri sonna et il n'y pensa plus — il estima que manger japonais devenait un luxe et paya en dodelinant de la tête.

« Je ne veux plus rien voir à mon retour, je ne veux plus en voir une miette, fit-il en remettant son anorak. N'essaie pas de te lever avant. Reste tranquille. Ne va pas te fracasser le crâne une seconde fois. »

Elle haussa les épaules. « C'est stupide, voyons, je vais bien... » soupira-t-elle en examinant vaguement, du coin de l'œil, le contenu du sac, ces bonnes petites choses au thon (variété Thunnus obesus) et au saumon (d'élevage, de Norvège) qu'on leur avait livrées, qui l'attiraient et lui soulevaient le cœur dans un même élan. Quoi qu'il en soit, elle se garda bien de mettre un pied en dehors du canapé, et voyant cela, voyant qu'elle devenait obéissante, il baissa les yeux sur sa parka dont il saisit la fermeture Éclair pour la remonter d'un coup car il était temps de partir et les soirs fraîchissaient vite.

Un jet de vapeur sortit de sa bouche lorsqu'il passa la porte et regagna la Fiat qui commençait à luire sous le clair de lune. Son téléphone sonna. « Surtout, ramène-moi des cigarettes, lui dit-elle. Surtout, n'oublie pas. » Il se tourna vers la maison. Les fenêtres étaient éclairées mais il ne pouvait pas la voir. « En ce moment, je préfère te voir manger que fumer des cigarettes », lui répondit-il tandis qu'il redescendait en ville en se servant uniquement du frein moteur.

Dix minutes plus tard, il se garait sur le parking de la galerie marchande et entra dans la pharmacie où il fit le plein de pansements, de Zopiclone et de Bion 3 au gingembre. Les magasins commençaient à fermer. Les agents de sécurité commençaient à parcourir les allées flanqués d'énormes chiens qui semblaient féroces.

Il examinait une crème anti-âge de chez Biotherm — le Age Fitness Power 2 à la feuille d'olivier — lorsqu'il aperçut Myriam en face de lui, de l'autre côté, chez le marchand de lunettes. Elle avait le don d'apparaître par surprise, décidément, se dit-il. Il y avait plusieurs jours qu'il ne l'avait pas vue et il remarqua au même instant qu'elle lui avait plus ou moins manqué.

Mais le bruit d'une altercation attira son regard — on procédait, à la hauteur d'un marchand de téléphones, à l'expulsion d'un jeune Blanc hirsute qui s'était déjà glissé dans son sac de couchage avec l'intention de passer la nuit sur place — et lorsqu'il reporta son attention sur elle, moins d'une poignée de secondes plus tard, amorçant un sourire et se disposant à prendre des nouvelles du sergent s'il le fallait, elle n'était plus là. Disparue. Rêvée?

Sans être un véritable habitué des apparitions, il avait longtemps eu affaire à celles de sa mère — éprouvantes — et il ne se laissait plus désarçonner par des manifestations de cet ordre après toutes ces années, si trompeuses qu'elles fussent.

Il termina tranquillement ses courses. Le supermarché se vidait et se promener dans les rayons déserts n'avait rien de désagréable, lire les étiquettes, comparer les prix, etc. Il s'y attarda un moment, nullement perturbé par l'apparition de Myriam, en aucune manière perturbé par son hallucination.

L'important était de ne pas oublier les cigarettes. L'important était de rapporter de quoi nettoyer la plaie — provoquée par le contact entre les dalles de la bibliothèque et la tempe de sa sœur, laquelle tempe s'était ensuite un peu ouverte et avait gonflé comme un œuf de pigeon. Il devait rester concentré, ne pas se laisser envahir. Il devait faire comme s'il conduisait un bolide, comme si la moindre seconde d'inattention pouvait le faire partir en vrille — envisager la vie comme une course, garder les yeux fixés sur la route, tel était le programme qu'il se fixait et l'exercice ne laissait guère de place aux divagations.

Un type de l'entretien le tira de sa rêverie — l'homme, qui poussait un balai à franges d'une largeur de deux mètres et tractait un récipient à roulettes rempli de liquide blanchâtre, lui annonça que le magasin n'allait pas tarder à fermer et que les gens devaient rentrer chez eux, à présent, sans chercher à faire d'histoires.

Faire des histoires? Un instant surpris, il finit par remarquer, en suivant le regard de l'employé, qu'il avait allumé une cigarette.

Chaque fois qu'il avait tenté d'arrêter, il avait repris de plus belle, entraînant Marianne dans sa chute, et voilà qu'à présent de nouvelles digues sautaient. Le constat était clair. Bientôt, on le trouverait fumant dans une église ou dans un hôpital ou dans les couloirs d'un sanatorium. Il repensa avec nostalgie à l'époque où l'on pouvait le faire dans les trains, dans les avions, dans les ascenseurs, sans penser au pire, au mal que l'on faisait.

Il s'excusa. On le connaissait dans ce magasin car il y laissait une bonne partie de sa paye et ne volait rien, n'abîmait rien, de sorte qu'il put regagner la sortie sans être directement conduit au poste ou plus simplement roué de coups et enfermé dans une cellule jusqu'au lendemain pour apprendre à respecter l'ordre.

Il était l'un des derniers clients, il ne restait plus qu'une seule caisse ouverte et la pauvre fille bâillait à s'en décrocher la mâchoire. Autour, les vendeuses fermaient leurs boutiques et filaient s'éparpiller dans la nuit — comme des soldats en mission. Il hésita à prendre l'ascenseur mais il y monta finalement car son angoisse de la panne était presque vaincue aujourd'hui, même lorsque la cabine avait la taille et l'apparence d'un vétuste fourgon à bestiaux et n'inspirait aucune confiance. La moindre conquête sur soi-même, songeait-il, ne s'obtenait qu'au prix d'un âpre combat. Qui pouvait prétendre le contraire? Combien avaient hérité d'un monde facile, où tout était donné?

Le parking était situé au dernier niveau, en terrasse. L'ascenseur tomba en panne à mi-chemin, s'immobilisa dans une secousse et les lumières s'éteignirent dans un râle. Il eut l'impression qu'une balle venait de le frapper en pleine poitrine ou que la foudre s'était abattue sur lui. Ses jambes flageolèrent un instant, sa respiration se bloqua, sa bouche devint aussi sèche que s'il avait mâché du plâtre, mais il puisa au fond de lui les moyens de surmonter l'épreuve et il empoigna son téléphone qu'il transforma en lampe torche afin de repérer les boutons des commandes, l'alarme en particulier. Il sonna pour demander de l'aide, mais il ne se passa rien. Il cria au secours, sans succès.

Il respira profondément, penché en avant, les mains sur les genoux. Puis il se redressa et se tourna de nouveau vers le panneau de pilotage qu'il malmena sérieusement. Il avait le poing encore levé et un chapelet de jurons à la bouche lorsque la lumière revint, lorsque l'ascenseur se remit en marche sans prévenir.

Il essuya ses lunettes, s'épongea le front tandis que l'espèce de boîte de conserve dans laquelle il avait eu le malheur de mettre les pieds le hissait vers la terrasse. Malgré le panneau d'interdiction, il alluma une Winston.

Lorsque les portes s'ouvrirent, le clair de lune baignait le parking, un air froid s'engouffra. Il n'y avait plus âme qui vive, à cette heure, l'endroit était désert. Il marcha vers sa Fiat. Le ciel était clair, étoilé. Il grimaça dans l'air vif.

Puis il fut de nouveau victime de cette hallucination, il aperçut Myriam pour la seconde fois de la soirée et elle marchait droit sur lui.

« Écoutez, j'ai perdu mes clés, lui annonça-t-elle en fuyant son regard. J'ai tout bêtement perdu mes clés.

— Vos clés? Oh. Vous avez l'air gelée.

— Je suis gelée. Je vous ai attendu. J'ai reconnu votre voiture.

— Eh bien, figurez-vous que j'étais coincé dans l'ascenseur.

— Écoutez, j'ai pensé que vous pourriez me déposer. J'ai pensé : "Je vais l'attendre et lui poser la question, on verra bien."

— Mais bien sûr. Montez. Je suis ravi de pouvoir vous rendre service. Nous allons avoir de nouveau froid, durant toute cette semaine. J'ai entendu ça. L'anticyclone ne parvient pas à se stabiliser. Est-ce mauvais signe? Nous verrons bien ce que l'avenir nous réserve... », fit-il en lui ouvrant.

Il l'observa de loin, tandis qu'il payait — la machine s'obstinait à refuser sa carte —, et il se sentait à la fois agacé et satisfait de sa présence. Rien à voir avec l'effet que produisaient sur lui les diverses étudiantes qu'il avait fréquentées durant toutes ces années, rien d'identique, non, rien de comparable. Malgré le froid — rares étaient ceux capables d'apprécier la puissante et amère odeur du vieux tabac confinée dans un habitacle réduit —, elle avait ouvert son carreau et lui offrait un pur profil, quelque chose d'extraordinairement fort.

La plus âgée de ses conquêtes avait eu vingt-six ans le jour de leur séparation. Myriam en avait vingt de plus. Sur ce terrain, il en savait autant qu'un nouveau-né mais il savait aussi d'instinct que rien ne pouvait aller en se simplifiant, que rien ne pouvait gagner en clarté — et surtout pas dans le cœur des femmes —, de quelque manière que l'on s'y prît.

Celui qui n'attendait rien n'était jamais déçu. Celui qui ne péchait pas par optimisme ne tombait jamais de haut. Celui qui s'attaquait à la montagne avec patience et humilité arrivait à ses fins. Celui qui ne préjugeait pas de ses forces constituait un adversaire de taille. Il récupéra son billet pour la sortie. Imaginer une seconde le degré de frustration de la femme d'un sergent en manœuvre à l'autre bout du monde pouvait provoquer un transport au cerveau, songea-t-il en rejoignant sa passagère qui souriait d'un air vague.

Celui qui voyage peu chargé n'arrive pas fourbu. Celui qui ne se nourrit pas d'espoirs ne meurt pas d'inanition.

La nuit recouvrait le monde autour d'eux comme une cloche. Le parking semblait perché tel un nid d'aigle au sommet d'un pic escarpé. « Nous devrions mettre de la musique », fit-elle au bout d'un moment.

Il replia ses lunettes et les glissa dans sa poche. « Karen Dalton ? » proposa-t-il.

Il se pencha sur le côté pour avoir accès à la boîte à gants, jetant un bref coup d'œil sur les cuisses de Myriam que soulignait un soyeux collant couleur crème. Il l'imaginait sans mal en maillot de bain — mieux encore, en sous-vêtements. À peine plus de quarante-cinq ans. Au mieux de sa forme. Et intellectuellement mature. Qu'en dire de plus ? Pouvait-on imaginer création plus parfaite, compagnie plus redoutable ?

Il n'était pas désagréable de penser que l'on éveillait l'intérêt de ce genre de personne, c'était même valorisant, estimait-il — de ce genre de personne qui réfléchissait, qui avait du goût, qui avait l'expérience de la vie. La médiocrité des rapports qu'il avait entretenus en milieu étudiant lui sautait aux yeux soudainement. La sexualité n'avait pas rendu les mondes moins étanches. La plupart s'étaient révélées de bonnes maîtresses, ingénieuses, très actives, mais aucun véritable échange ne s'était produit, aucune véritable connexion ne s'était réellement faite. Il comprenait à présent pourquoi.

Quelque chose s'était ouvert en lui, avait éclos dans sa poitrine — le passage de l'enfance à l'âge adulte provoquait par exemple des sensations de cet ordre —, avait lentement mûri, et de cette gestation secrète un nouvel homme était né ce soir-là. « Pourrai-je, se demandait-il en manipulant son lecteur à la recherche de cette voix déchirante, pourrai-je jamais revenir aux jeunes filles désormais? Perdront-elles toute espèce d'intérêt à mes yeux? En tant que professeur, il ne le souhaitait surtout pas — en tant que personne passant le plus clair de son temps avec elles, pour commencer —, mais ce n'était pas lui qui pouvait en décider. Ces choses-là ne se commandaient pas.

Elle posa une main sur son bras. « Quelle situation étrange, vous ne trouvez pas? déclara-t-elle. Mais ça doit venir de moi. Comme je dors mal, je suis épuisée. Mes idées ne sont pas très claires.

— Je sens comme un courant électrique, disons, lorsque vous me touchez. Pas vous?

— Non. Je ne sais pas.

— Des nouvelles de votre mari? »

Elle secoua la tête. Il tendit la main vers la clé de contact, mais elle l'arrêta une nouvelle fois.

« Je ne me souviens même plus de son nom, fit-elle avec le regard dans le vague. Ce matin, j'ai eu un blanc. Il m'a fallu plusieurs secondes avant de pouvoir le prononcer... Je trouve que c'est abominable de ma part. Je trouve que c'est vraiment abominable de ma part. Réellement indigne.

— Non. Jamais de la vie. Écoutez-moi, Myriam, jamais de la vie. Personne ne l'a forcé à faire carrière dans l'armée. Il n'a qu'à s'en prendre qu'à lui.

— C'est quoi ce courant électrique dont vous avez parlé?

— Ce courant électrique dont j'ai parlé?

64

— Oui.

— Ce courant électrique dont j'ai parlé?

— Oui. »

Il sentit sa bouche se dessécher. La température extérieure était froide mais l'intérieur de la Fiat également car il n'avait pas encore mis le contact. Il avait le nez gelé.

« J'ai peur que l'on reste coincés, fit-il. Je pense que nous ne devrions pas traîner. Ça m'est arrivé, une fois. Heureusement, c'était l'été.

— J'attends l'été avec impatience, Marc. Si vous saviez.

— Tout va bien. Les bourgeons sont là. C'est vert quand on lève les yeux. »

L'entrevue devenait irréelle. Ils auraient pu flotter au milieu du cosmos, au milieu du noir absolu, perdus au milieu de rien, quelle différence?

À présent, son cœur battait comme s'il s'était mis à courir tranquillement au bord du lac. Aucune étudiante n'avait jamais produit un tel effet sur lui. Karen Dalton chantait *Every Time I Think Of Freedom*.

« J'adore la voix de cette fille », déclara-t-il.

Elle hocha la tête. Puis elle lui prit la main et la serra contre sa joue.

C'était, se disait-il, en de telles occasions que l'on regrettait de ne pas être propriétaire d'une Audi A8 — intérieur cuir.

Maintenant, c'était comme s'il filait d'un bon train,

à environ cent quarante pulsations. Alors qu'il restait immobile. En soi un phénomène étonnant.

Elle lui effleura la main des lèvres et leva les yeux sur lui. « Je vous embarrasse ? » murmura-t-elle. Il secoua doucement la tête. Elle n'était ni sa mère ni sa sœur. Elle pouvait continuer. Il regrettait juste l'inconfort que la Fiat allait leur offrir et qu'il jugeait indigne de cette femme, mais il n'était pas toujours donné de choisir ce que l'on voulait, bien entendu, et nombre de relations avaient été tuées dans l'œuf pour cause de mauvais départ, pour cause de lieu inapproprié, etc. On ne pouvait pas y faire grand-chose. Il s'agissait d'un immense tirage au sort.

Il eut une brève pensée pour le sergent qui errait entre les pierres d'un désert rocheux, priant pour ne pas tomber dans une embuscade, priant pour rester en vie.

Il rentra tard. Aux alentours de deux heures du matin. La nuit, lorsqu'il remontait à travers la forêt silencieuse au volant de son engin vrombissant, il avait l'impression de scier le monde en deux, aux commandes d'une énorme tronçonneuse, réveillant le moindre mulot, la moindre petite souris, le moindre corbeau, le moindre vermisseau sur son passage. Il avait perdu une bonne partie de son échappement, il s'en était assuré, et il avait beau finir le trajet sur son élan, en coupant le moteur, elle l'entendait arriver au moins une fois sur deux. Ou alors elle l'attendait parce qu'elle se faisait du mauvais sang. Ou bien elle ne dormait que d'une oreille.

« Tu as vu l'heure ? » fit-elle tandis qu'il s'apprêtait à monter directement chez lui.

Au moyen de la télécommande, elle venait d'éclairer le hall et il se trouva pris le pied en l'air, une main sur la rampe.

Elle éclaira le salon à son tour. Avec le même instrument, elle baissa l'intensité des lampes. « Mais enfin, mais d'où sors-tu ? »

Il agita les cigarettes et la pharmacie devant elle. « Tout est là, dit-il. J'ai là tout ce que tu voulais. »

Elle se jeta sur la cartouche de cigarettes qu'elle déballa nerveusement. « Hein, tu as vu l'heure ? Il n'y a pas une seule fichue cigarette dans cette foutue maison. Mais j'imagine que tu t'en moques. Ça ne t'a pris que sept ou huit heures, après tout.

— Calme-toi. Écoute-moi. Figure-toi que je suis resté coincé sur le parking du supermarché. Voilà l'histoire. Cette borne est sortie du sol et impossible de redescendre. Coincé. Je suis resté coincé là-haut pendant tout ce temps. Voilà le fin mot de l'histoire.

— C'est passionnant, fit-elle sur un ton grinçant. Ce que tu me racontes là est passionnant.

— Je n'avais pas mon téléphone. Sinon j'aurais appelé. Je savais que tu m'attendais. Je suis fumeur, moi aussi. Je n'ai pas besoin d'un dessin. Tu crois que j'aurais pu t'abandonner ? Tu crois que je ne savais pas que tu tournais en rond comme un animal enragé ? Je voyais bien que le temps passait. Et j'en étais malade mais ils étaient tous tellement endormis que j'aurais pu moisir la nuit tout entière sur leur satané parking.

— Tu sens la transpiration. Je le sens d'ici.

— Oui, ça ne m'étonne pas. Ça n'a pas été aussi reposant que ça en a l'air. J'étais vert de rage, tu penses bien. Je me suis presque battu avec cette machine qui déclarait mon ticket de sortie invalide et le répétait ad nauseam. Toute cette technologie finit par rendre fou, non ? »

Il était étonné de la facilité avec laquelle il menait cette conversation, comme tous ces mots coulaient de sa bouche. La femme qu'il serrait encore quelques instants plus tôt dans ses bras était toujours là. Elle occupait à présent tellement son esprit que cette conversation tenait du miracle.

Même chose le lendemain. Myriam fut la première image qui traversa son esprit, à la seconde où il ouvrit les yeux.

Il avait dormi d'un sommeil profond, souterrain. Ensuite, il descendit presser des oranges, il grilla des toasts, les beurra, les confitura et prépara un bol de flocons d'avoine qu'il arrosa de sirop d'érable, car il avait à cœur de veiller sur la santé de Marianne, de lui redonner quelques couleurs à l'arrivée du printemps. Il disposa le tout sur un plateau qu'il porta dans la chambre de celle-ci en fredonnant vaguement. Elle dormait encore. Ou faisait semblant de dormir.

Il se débarrassa du plateau et décida de s'asseoir à

côté d'elle, dans la pénombre. L'odeur de cette chambre était réellement troublante — elle l'avait toujours été. L'odeur de cette chambre au matin, lorsque Marianne ne s'était pas encore levée, comme si une partie de son corps s'était évaporé durant la nuit et flottait dans l'air tiède.

Il avait toute une liste de recommandations à lui faire, mais il se contenta d'ouvrir la bouche, de la garder entrouverte un instant puis ses lèvres se rejoignirent. Il sortit un carnet de sa poche et lui griffonna un mot après avoir allumé une cigarette. Une belle journée, lumineuse et fraîche, s'annonçait — dont quelques lames de cristal dardaient par les fentes du rideau. Et le tour de force venait qu'en écrivant ces deux ou trois phrases, tandis même qu'il en traçait chaque lettre, il revoyait quelques fragments de leur étreinte de la veille, dans le minuscule et ignoble habitacle où ils avaient œuvré, Myriam et lui, et ces visions l'ébranlaient secrètement.

Non qu'il regrettât de s'être livré sans retenue à l'aventure — qu'il classait d'emblée parmi les meilleures, sexuellement parlant —, mais il en mesurait également le degré de dangerosité, ou plutôt n'en mesurait-il rien du tout, il se trouvait devant un abîme, en fait. Ne sachant pas trop quoi penser des événements. De ce territoire inconnu sur lequel il mettait les pieds et auquel il ne connaissait rien — il ne s'y connaissait qu'en étudiantes, qu'en espèces malléables, ses connaissances n'allaient pas au-delà. Il devait rester sur ses gardes. Myriam pouvait provoquer des changements extrêmes, irréversibles. Son instinct le saisissait clairement. Son corps comprenait parfaitement bien le message du courant qu'elle transmettait, cette subtile vibration. Son esprit, en revanche, semblait refuser de se mettre en alerte.

Juste avant d'entrer en cours, Richard Olso l'arrêta dans le hall afin d'obtenir des nouvelles de Marianne. « J'aimerais être sûr que vous faites ce qu'il faut, mon vieux, j'aimerais en être certain. » Il ajouta qu'il lui rendrait visite aujourd'hui même. Si Marc n'y voyait pas d'inconvénient. Ils ricanèrent de concert.

Le département avait organisé une série d'interventions et de rencontres avec des scénaristes professionnels basés à Hollywood et tout le monde voulait apprendre à fabriquer une série ou n'importe quoi qui rapporterait des millions et le privilège de dîner à la table de Steven Spielberg — avant d'aller boire un café avec Nicole Kidman. Il profita de la désertion de ses élèves pour aller faire changer son pot d'échappement en prévision de déplacements plus discrets, si le cas échéait. Sans doute le plus sage était-il de ne pas la revoir et de l'oublier le plus vite possible, s'il lui restait un peu de plomb dans la cervelle.

Annie Eggbaum n'était pas spécialement attirante, mais elle pouvait l'aider à reprendre son équilibre s'il se décidait. Ses traits étaient assez ingrats, sans saveur, et elle ne brillait pas par la qualité et l'originalité de son travail, mais elle avait une jolie silhouette et usait de décolletés de plus en plus profonds à mesure que l'année avançait.

Nanti d'un pot neuf, il était revenu à son bureau et examinait les textes que certains lui avaient rendus quand elle se pencha vers lui, poitrine en avant, et l'implora une nouvelle fois de lui donner les cours particuliers dont elle avait si cruellement besoin. De ce point de vue, elle n'exagérait pas — cette pauvre fille ne serait jamais capable d'écrire la moindre ligne.

« Écoutez, Annie, je ne sais pas quoi vous dire. Ne me harcelez pas. Je crois vraiment que ces cours ne serviraient à rien. Vous n'avez aucune oreille et j'ai peur de ne rien y pouvoir. Pourquoi vous entêter ?

— Je vais travailler. Je vais travailler deux fois plus dur. Écrire est une question de travail. C'est quatre-vingt-dix-neuf pour cent de travail. Vous n'arrêtez pas de le répéter.

— Je dois vous entretenir du un pour cent qui reste, Annie, nous ne pourrons pas y échapper. Et ce ne sera agréable ni pour vous ni pour moi. »

Il lui offrit une cigarette. Une partie de sa notoriété parmi les étudiants provenait de son incapacité à interdire à quiconque de fumer — lorsqu'il n'incitait pas lui-même à la chose.

« Le plus dur est d'admettre que l'on ne vaut rien, fit-il en s'écartant du bureau avec un haussement d'épaules. C'est vraiment très dur... Mais tout dépend de l'idée que l'on se fait du truc, n'est-ce pas. Certains préfèrent ne pas placer la barre trop haut, pour plus de sureté. C'est ce que vous voulez? Regardez-moi. Est-ce que j'ai l'air malheureux? Écoutez-moi, laissez tomber, Annie. Il n'y a pas de honte. Ne vous rendez pas malheureuse. N'attendez pas d'avoir mon âge pour ouvrir les yeux. Vous êtes jeune, vous n'êtes pas encore abîmée. Soyez lucide. Soyez lucide, jeune fille. »

Il se demanda si elle allait s'asseoir sur son bureau, pensant que les choses en prenaient le chemin. L'atmosphère s'y prêtait, les couloirs étaient silencieux, la lumière scintillait à travers les arbres qui bordaient le campus à l'est, dans le soleil du matin. Il faisait encore frais mais la plupart avaient déjà ressorti les minijupes et Annie n'avait pas choisi la plus longue. De nombreux professeurs se plaignaient du phénomène et leurs femmes se réunissaient régulièrement à l'heure du thé pour dénoncer les tenues outrées et inacceptables d'un trop grand nombre, dès l'arrivée du printemps.

Marianne elle-même n'était pas la dernière à s'offusquer de la taille des morceaux de chiffon — guère plus conséquents que des mouchoirs de poche — que certaines osaient porter. Elle insistait un peu plus chaque année sur la question. Elle devenait chaque année un peu plus virulente sur le sujet. Et lui n'était pas épargné. Lui était désigné comme victime potentielle — hypocrite, veule, consentante —, misérable coquille de noix emportée par le moindre souffle d'air. C'était à cela qu'il voyait qu'elle vieillissait, qu'ils vieillissaient tous les deux, à ce goût d'amertume qu'avaient ses paroles, à ce ton de reproche — alors qu'elle ne l'avait jamais réellement pris sur le fait.

« Nous avons cours dans moins de dix minutes, dit-il.

— C'est bien possible, répondit-elle. Écoutez, je n'y peux rien si mon père est riche. Ce n'est pas quelque chose que j'ai choisi.

— J'aurais voulu que le mien le soit, quand j'y réfléchis.

— En fait, ce n'est pas dix minutes. C'est vingt minutes. Au bas mot. Ils sont hypnotisés par ces types.

— Bien sûr qu'ils sont hypnotisés. J'imagine qu'ils doivent prendre des notes. Lequel d'entre nous n'a pas lorgné de l'autre côté de l'Atlantique. Au moins une fois. Vous n'êtes pas fascinée par Martin Scorsese ? Vous n'aimeriez pas pouvoir utiliser son cerveau pour écrire un scénario ?

— Il est ici ?

— Mais non, il n'est pas ici. Martin Scorsese. Réveillez-vous, Annie. Martin Scorsese ici ? Avec quel argent ? Regardez ce qu'ils donnent à la Culture. Des clopinettes, Annie. Par moments, ce pays me fait honte. »

Sa poitrine était parsemée de taches de son.

« Écoutez, nous reparlerons de tout cela une autre fois, Annie, si vous le voulez bien, car hypnotisés ou pas j'entends vos camarades. Je crois qu'il vaut mieux vous lever de mon bureau. Je crois que ça vaut mieux. Soyez gentille. Je vais voir ce que je peux faire pour vous aider. Ce serait quoi? Une fois? Deux fois par semaine? »

Il consacra une partie de l'après-midi à refroidir l'excitation qu'avait provoquée l'un de ces types venus d'Hollywood, sans doute auteur de séries à succès, de films à gros budgets, de best-sellers — de maisons avec piscine, de montée des marches, de cachets mirobolants, de prix, de récompenses. Cet Âge d'Or était terminé mais ils ne voulaient pas l'entendre. Il passa pour le parfait rabat-joie, pour l'empêcheur de tourner en rond, pour le bientôt retraité. Il fuma une cigarette tandis qu'il les faisait plancher sur un court dialogue tiré du *Docteur Folamour* pour avoir la paix.

Mais s'il pensait ainsi se sortir Myriam de l'esprit, il se trompait.

À la fin des cours, il fit un crochet par la cafétéria. Le jour commençait à baisser, dorait le contour des fenêtres. La salle était presque vide. Il échangea quelques mots avec la serveuse occupée à faire le plein des petits pots de moutarde présentés sur les tables, mais elle ne l'avait pas vue, elle n'avait pas vu Myriam de la journée. Il se leva et se servit en silence un autre café.

Annie Eggbaum réapparut au moment où il décidait de partir.

« Pour commencer, j'ai détesté ce film », déclara-t-elle.

Un très, très mauvais point pour elle. Mais elle ne manquait pas d'aplomb. Puis elle finit par avouer qu'elle ne le détestait pas tant que ça. Il sentit son genou, sous la table. Pour autant, Myriam ne s'effaçait pas de son esprit.

Il jeta un coup d'œil alentour. Il ne restait plus que la serveuse qui s'occupait des salières à présent. Le crépuscule s'installait. Annie Eggbaum avait avalé il ne savait trop quoi mais elle semblait vouloir le dévorer des yeux. Et elle frottait son genou contre lui sans la moindre retenue, avec une insistance presque rageuse.

Il s'agissait certainement d'un pari. Ou d'un excès de vitamines. Comment savoir ce qu'une fille pouvait inventer?

«Vous êtes en voiture?» demanda-t-il à voix basse. Elle secoua négativement la tête. Il la fixa. «Attendez-moi devant le parking, reprit-il après un instant d'hésitation. J'y serai dans cinq minutes.»

Il lui était déjà arrivé d'agir dans la précipitation mais pas au point d'être aperçu en préjudiciable compagnie, et ce genre de précaution s'était encore révélé indispensable récemment dans le cas de Barbara — dont il n'aurait pu récolter que tracasseries et tourments totalement inutiles, connaissant la police et ses méthodes qui faisaient s'étrangler Human Rights Watch et consorts.

La porte d'entrée se referma sur les talons d'Annie, après qu'elle eut glissé un dernier coup d'œil dans sa direction. Une vague de chaleur le traversa. Il se tamponna le front avec une serviette en papier recyclé puis offrit une cigarette à la serveuse. Elle la glissa derrière son oreille. « Pour tout à l'heure », dit-elle. Ils parlèrent un peu. Puis il la salua.

À présent, la lune brillait. Il sortit et fila directement vers la Fiat, courbé en deux, le front moite, aussitôt glacé. Parfait pour attraper un chaud et froid.

Il s'installa au volant. Annie se tenait sur le trottoir, à une centaine de mètres, devant l'entrée de service de la cafétéria éclairée par un lampadaire qui dispensait une lumière jaune, et cette vision, cette jeune femme qui l'attendait patiemment, accéléra sa respiration. Il mit le contact. Annie l'avait bousculé, certes, il n'entendait pas l'ignorer, Annie se jetait brutalement à sa tête, mais il n'y voyait pas beaucoup d'inconvénients. S'il devait en passer par là pour échapper à une menace infiniment plus terrible, infiniment plus dangereuse, il était prêt à s'y soumettre. L'instinct de survie s'était considérablement développé durant ces dernières années.

Il se rangea le long du trottoir, à sa hauteur, ayant pu, durant son approche, une fois encore, apprécier l'agréable silhouette de l'étudiante dont le père était riche et le futur amant propriétaire de la plus petite voiture du monde. Il se pencha pour lui ouvrir au moment où, derrière elle, pressée, la serveuse sortait pour fumer sa cigarette.

Il serra les dents. En une fraction de seconde, sa main dévia de sa course vers la poignée pour aller s'aplatir sur le bouton qui verrouillait la portière. Son regard croisa celui de la serveuse allumant son briquet cependant qu'Annie, au tout premier plan, amorçait une profonde grimace.

Il se redressa et enfonça l'accélérateur. Il détala immédiatement, à fond de train. Sans un seul coup d'œil dans son rétroviseur — Annie ne devait pas être en train de sourire, se dit-il en passant brutalement les vitesses.

Il était désolé pour elle. Il n'allait pas être facile de fournir une explication valable au mauvais tour qu'il lui avait joué. Il allait sans doute être obligé de faire un geste sur les cours particuliers pour se racheter.

N'importe quel travail doit être minutieux. Les choses doivent être bien faites. Il n'avait pas l'intention de commettre une erreur aussi grotesque. À cause de cette loi folle et intolérable qui interdisait aux professeurs de coucher avec les étudiantes, il fallait à tout prix rester dans l'ombre, et il s'y tenait, il ne faisait rien passer avant. N'importe quel travail doit être minutieux. Rien ne devait sortir de l'ombre. Chaque homme devait veiller à sa propre sécurité.

Remontant vers le chalet à vive allure, il entendit à la radio qu'il y avait eu de nouveaux accrochages en Afghanistan — de nouveaux soldats tombaient dans de nouvelles embuscades le long de vagues frontières — et il pensa aussitôt à Myriam.

Il n'avait jamais eu de relation avec une femme de plus de vingt-six ans. Aussi bête que c'était. L'exploit ne donnait droit à rien. Les occasions ne s'étaient pas présentées, tout simplement. Il ne les avait pas cherchées. Ayant assez de sa sœur pour lui compliquer cruellement l'existence. Ayant assez de Marianne pour compliquer tout.

Non que Myriam eût failli à ses attentes, au contraire. Il n'y avait pas que les femmes pour jouir davantage lorsqu'elles éprouvaient des sentiments pour leur partenaire. Et sans doute n'en était-il pas encore aux sentiments avec elle, il ne fallait rien exagérer, mais le rapport qu'ils avaient eu sur le siège arrière de son étroit véhicule, bien qu'acrobatique et rude, l'avait littéralement subjugué et il y pensait encore en éprouvant le plus grand trouble — son éjaculation avait été particulièrement longue, particulièrement éloquente, et même tout à fait inhabituelle.

La Fiat montait au milieu des sapins et des châtaigniers, dans la lueur molle des phares jaune de l'époque. À présent, les dernières traces de neige avaient disparu, un léger brouillard commençait à flotter au-dessus des zones déboisées — prés, maisons, enclos à moutons et à vaches, abattis, champs, friches qui longeaient la route, talus qui basculaient dans les ténèbres en direction du lac.

Habiter en dehors de la ville était une bénédiction — une manière de garder la tête hors de l'eau, de permettre la respiration. Marianne et lui étaient nés dans cette maison. Leur père avait été professeur dans cette université. Il avait acheté cette maison au début des années cinquante, à une époque où le prix de l'immobilier n'atteignait pas encore des sommes surnaturelles et restait accessible au commun des mortels. Leur mère y avait vécu, d'après ce que l'on disait, ses plus belles années — jusqu'au moment où elle était tombée enceinte de Marianne pour commencer, puis aussitôt de lui. Leur père avait voulu qu'ils sachent qu'elle n'avait pas toujours été la femme qu'ils avaient alors devant eux. Cependant qu'il tenait Marc sur l'un de ses genoux, Marianne sur l'autre. Puis se mettant à pleurer à chaudes larmes pour n'être pas intervenu, pour avoir été aussi faible une fois de plus, pour être un parfait misérable.

La voiture de Richard Olso était garée dans l'allée. Il s'agissait d'une Alfa Romeo rouge. Elle collait parfaitement au personnage. Aux premiers rayons de soleil, il décapotait et s'enfonçait une de ses minables casquettes sur la tête. Sur son passage, les filles pouffaient discrètement — personne n'avait envie de se mettre le directeur du département de littérature à dos tandis qu'il traversait le campus au pas, le bras à la portière, souriant.

L'engin rutilait stupidement devant la porte d'entrée, sous la lumière du porche. N'importe quelle personne un peu mieux élevée se serait garée un peu plus loin, mais Richard Olso n'était pas homme à s'embarrasser de subtilités de cet ordre. Malheureusement pas. Il imagina un instant Richard Olso devenant une sorte de beau-frère au cas où Marianne capitulerait et il en frissonna une nouvelle fois. Coupa le contact. Soupira.

Rien n'était encore fait, cependant.

Y avait-il la moindre chance qu'il pût supporter ce type sous leur toit?

Du dehors, il les aperçut dans le salon en train de grignoter des chocolats, près du feu. Presque instantanément, il sentit sa migraine revenir. Migraine marchait avec contrariété. Il entra. Pendit son anorak dans le hall — à côté d'un pardessus en poil de chameau qui n'appartenait à personne vivant dans cette maison.

« Tu dois faire attention avec le sucre. Richard, elle doit faire attention avec le sucre, vous le savez bien.

— Laissez-la donc reprendre un peu de forces, mon vieux, ne vous inquiétez pas. Je crois que nous contrôlons la situation.

— Je suis libre de manger autant de chocolats que je veux », déclara-t-elle en s'emparant d'une ganache entre pouce et index.

Il était clair qu'elle cherchait à le punir en se montrant désagréable avec lui et ostensiblement aimable avec Richard dont le visage exprimait une profonde satisfaction.

Avant de présider aux destinées du département de littérature, Richard Olso avait occupé un poste d'attaché culturel dans le fin fond de l'Europe, où il avait attrapé la maladie de Lyme. L'origine de sa légère — mais plombante — paralysie faciale se trouvait là, fruit amer d'une de ces borrélioses mal soignées qui lui causait également certains problèmes articulaires et raidissait sa démarche pour tout arranger. Il n'était pas difficile d'imaginer qu'avec un tel physique, Richard Olso peinât à faire tourner les têtes. Sans vouloir être méchant.

Or, Marianne. Que pouvait-elle bien lui trouver? Pourquoi diable acceptait-elle cette cour écœurante qu'il lui faisait, quelle perversion y avait-il là-dessous? Quelle anomalie mentale?

Il décida de leur tenir compagnie. Après tout il était chez lui et il était temps de faire comprendre à Richard que l'heure était venue de prendre congé car la maison allait fermer et ses habitants se coucher. Il s'installa dans un fauteuil et bâilla en déclinant la proposition de chocolat que Richard lui faisait.

« Non merci, ça va m'empêcher de dormir », déclarat-il.

Dehors la lune brillait dans l'air frais comme un disque de porcelaine.

« Quoi qu'il en soit, je vous remercie d'être passé, Richard. Je me suis garé de manière à ne pas vous gêner pour sortir mais s'il y a le moindre souci je suis là, je suis à votre disposition. Encore merci d'être venu. Personnellement je suis épuisé. J'ai la migraine. Et toi, Marianne, franchement, je ne dirais pas que tu as repris beaucoup de couleurs. Tu dois te reposer. C'est largement l'heure, tu sais. Il y a peu, tu ne tenais même plus sur tes jambes. Ne te surestime pas. Nous t'avons ramassée par terre, souviens-toi. »

Encore une fois, comment une telle femme pouvait-elle être séduite — aussi peu qu'elle le prétendît —

par un tel homme? Une femme qui, d'ordinaire, faisait preuve de discernement, de goût, de rigueur, d'intelligence. Cela avait-il à voir avec le fait que Richard se trouvât à la tête du département de littérature et que Marc fût sous ses ordres? Était-ce jouissif? Pouvait-on éprouver une folle passion pour Nabokov et vivre d'aussi minables petits scénarios?

Elle était sa sœur aînée mais lui-même ne méritait-il pas le respect? Ne méritait-il pas d'être épargné des vexations et autres trahisons d'usage après les corrections qu'il avait reçues à sa place, par pure grandeur d'âme? Combien de poignées de cheveux avait-il perdues, combien de K.-O. avait-il consentis? — trois, si l'on comptait la fois où il ne s'était pas évanoui mais fixait le sol de terre battue au bas des marches où cette femme l'avait précipité, le laissant incapable d'effectuer le moindre geste durant de longues minutes, presque de respirer et urinant dans ses culottes courtes sans qu'il pût rien y faire, si sonné qu'il était.

Il méritait son respect total. Elle ne devait pas pousser la plaisanterie trop loin. Il la fixa intensément. Elle se résolut à baisser les yeux et tendit la main vers ses cigarettes. « Marc a raison, dit-elle. Il se fait tard. Vos chocolats m'ont fait du bien, Richard. Merci pour votre visite. Merci de vous soucier de mon sort.

— Écoutez. C'est tout à fait normal. Marianne. Vous le savez bien. Demandez-moi ce que vous voulez.

— Vous êtes trop gentil, Richard. Mais rassurez-vous. Je serai bientôt sur pied. Le printemps va m'aider. Je vais reprendre la gymnastique. Je vais m'inscrire dans une salle.

— Si vous voulez, je vous donne l'adresse de la mienne. Je crois que c'est la meilleure. Voulez-vous que je m'en occupe ? »

Leur conversation s'était poursuivie sur ce ton durant un bon moment. Hallucinant. Il en ricanait encore de longues minutes après que Richard eut levé le camp au volant de son Alfa Romeo, se fut engouffré dans la nuit blême. Hallucinant. Grotesque.

« J'aurais dû vous filmer, railla-t-il. J'aurais pu me le repasser.

— Tu fais complètement erreur. Tu as trop d'imagination. »

Il attrapa au vol le paquet de cigarettes qu'elle lui lançait.

*

Le lendemain, il se leva tôt et fit une longue marche à travers les bois, s'éloigna dans les collines avoisinantes — d'un vert tendre — afin d'échapper à la tentation de retourner en ville dans l'espoir de croiser Myriam, peut-être d'arpenter sa rue, d'espionner ses fenêtres ou quoi que ce fût de ce genre.

Avoir l'esprit ainsi envahi par une femme était nouveau pour lui. Non pas envahi par la crainte, le ressentiment, le désir de vengeance ou autres douceurs que lui inspirait sa mère, ou encore par les sentiments sombres et mitigés que sa sœur pouvait faire naître en lui. Mais envahi par un fluide agréable qui parfois se mettait à battre comme un torrent incroyablement bon et dangereux. C'était incroyablement nouveau.

Plus que jamais, marcher semblait nécessaire. Si l'on avait mis bout à bout le nombre de kilomètres qu'il avait parcourus à travers ces bois, au milieu de ces collines, par-dessus ces ruisseaux, ces failles et ces gouffres, on en serait tombé étourdi. S'il fermait les yeux, il pouvait encore sentir les feuillus lui fouetter le visage, la pluie et la nuit tombant sur sa course terrible certain soir de novembre où elle le poursuivait avec une fourche. Mais aussi de prodigieux matins plus ensoleillés que des pièces d'or — le miroitement entre les branches forçait à cligner des yeux —, où il partait avec son père pour se baigner dans un torrent si glacé que celui-ci devait finir par serrer son fils dans ses bras jusqu'à ce qu'il arrête de claquer des dents. Aujourd'hui, l'air sentait bon — un mélange de terre froide et d'herbe nouvelle.

Un instant, il songea, et pour la première fois depuis son réveil, à Annie Eggbaum et aux ennuis qui l'attendaient dès qu'il réapparaîtrait sur le campus. Il dévala une pente couverte de feuilles mortes, sèches, grises et racornies et rattrapa un sentier qui passait au-dessus de la route. N'ayant pas d'explication satisfaisante ni très glorieuse à lui donner pour l'affront qu'il lui avait causé, il pouvait gager que l'étudiante n'allait pas lui épargner son amertume. Tout le monde agirait comme elle, à sa place. Tout le monde crierait vengeance.

Il gardait en réserve les cours particuliers qu'elle lui réclamait depuis le début de l'année. Il pouvait se montrer souple à cet égard, ses marges étaient assez importantes. Il pouvait commencer par lui faire cadeau de la première semaine et voir ce qu'elle en pensait. Lui remonter une mauvaise note par-ci ou par-là afin qu'elle retrouve le sourire.

Comme il s'approchait de la grotte, il jeta un coup d'œil alentour et ne remarqua rien de particulier, ne vit rien et ne détecta aucune odeur en provenance de l'obscurité humide et moussue qui s'enfonçait sous terre. Le sommeil de Barbara était silencieux et tranquille et l'on ne pouvait que s'en réjouir, pour chacune des parties. Cette grotte était bien la sépulture ultime, la meilleure que l'on pût souhaiter en certaines circonstances — sa profondeur la rendait définitive, absolue. Il y jeta quelques crocus ramassés en chemin et alluma une cigarette — chaque fois plus excellente que la précédente.

Peut-être serait-il obligé de coucher avec Annie Eggbaum, pour finir, songea-t-il vaguement. C'était là une possibilité si elle prenait une position trop radicale et comptait lui faire payer sa grossièreté au prix fort.

L'idée de mener une double liaison l'inquiétait assez, cependant, faisant naître une certaine anxiété que fumer une cigarette en plein air, par une agréable matinée de printemps, une Winston, ne parvenait pas à dissiper. Sans doute certains se réjouissaient-ils d'affronter l'inconnu, l'appelaient-ils de leurs vœux, en faisaient-ils un déclencheur d'orgasme insurpassable, mais ce n'était pas son cas, loin de là. Il avait eu son compte d'aventures, de tremblements, de retournements, d'actions, de surprises, de souffrances, de joies, etc., en sorte qu'il ne voyait pas venir cette épreuve en se frottant les mains, en piaffant d'impatience. L'inconnu n'avait aucun attrait pour lui, bien au contraire. L'inconnu lui apparaissait sous la forme d'un brouillard brillant, épais comme de la mousse, porteur de tous les pièges, de tous les ennuis imaginables. Il connaissait.

Il aspirait à la stabilité, depuis de longues années. Bien des choses s'étaient arrangées à partir du moment où il avait compris qu'il ne serait jamais un écrivain, un véritable écrivain. Mieux valait le savoir. Une formidable renaissance, pour lui. Il avait conscience du fardeau qui lui était épargné. Sans doute quelque chose à l'intérieur de lui-même avait-il été fracassé, écrabouillé, mais quel soulagement au bout du compte, quelle libération. Il frémissait parfois à la simple évocation de la sidérante vie monacale à laquelle il avait échappé — qui revenait à manipuler un produit radioactif à mains nues jusqu'à finir brûlé, ou à respirer de l'amiante, si l'on s'en tenait au résultat final, à savoir un lent empoisonnement. Aucun véritable écrivain n'y échappait. Il n'y avait aucune exception.

Personne ne pouvait envier ces gars-là. Personne ne pouvait comprendre que l'on puisse choisir de se laisser dévorer le cœur sans broncher. La plupart de ses étudiants estimaient qu'il s'agissait d'un métier comme un autre. Tâcher de les en dissuader ne servait à rien.

Annie Eggbaum le tannait depuis des mois afin qu'il lui livre certains secrets permettant de venir à bout d'un roman et ces choses-là se terminaient d'ordinaire dans un endroit tranquille, à l'abri des regards, dans la plus parfaite discrétion, mais cette fois le scénario semblait plus compliqué. Il se remit en marche. Le souvenir de Myriam le chevauchant dans la Fiat — exercice qu'il avait pourtant pratiqué à différentes reprises sans en faire un sommet en matière de pratique sexuelle — revenait le submerger à intervalles réguliers, avec la même force. Que fallait-il faire de ça, se demandait-il en reprenant le chemin de la maison, que fallait-il faire de cette météorite tombée dans son jardin? — le prendre sur le ton de la plaisanterie ne marchait pas davantage.

À son retour, il faillit être terrassé par une crise cardiaque en découvrant Myriam dans le salon, en compagnie de sa sœur, devant une tasse de café, Marianne disant :

« Eh bien, le voilà, vous avez de la chance, le voilà, mais ça aurait pu prendre beaucoup plus de temps. N'est-ce pas, Marc ? »

Il tira une chaise à lui.

«Tu ne dis rien. Dis quelque chose, fit Marianne.

— C'est la belle-mère de Barbara.

— Je sais. Nous avons fait connaissance.

— Je t'en ai parlé. »

Myriam poussa quelques cahiers vers lui. « J'ai trouvé ça, déclara-t-elle. Je voulais vous les montrer. Mais je me rends compte à quel point ma visite est brutale, je suis confuse mais je n'avais pas votre téléphone. »

Il échangea un bref regard avec sa sœur puis se pencha pour attraper les cahiers en question, chaussa ses lunettes et les feuilleta un instant — davantage occupé à recouvrer son calme qu'à évaluer le travail de Barbara, fût-il aussi intéressant que sa belle-mère le prétendait. Il se demandait si son front luisait, si ses sourires ne se transformaient pas en grimaces, si quoi que ce soit trahissait le trouble dans lequel la visite de Myriam le plongeait.

« Je suis impatient de lire tout ça, dit-il. C'est vraiment aimable à vous. »

Quant à croiser son regard, c'était presque impossible. Dehors, le soleil était passé derrière l'horizon, des corbeaux volaient au-dessus des bois.

Elle se leva brusquement. Remercia Marianne pour le café. Il baissa les yeux sur les cahiers. « Je vais lire tout ça, fit-il en les caressant tranquillement. C'est très aimable à vous.

— Prenez votre temps, dit-elle. Il n'y a pas urgence. »

Elle recula vers la sortie. Marianne ne s'était pas

levée pour l'accompagner et, quant à lui, rien n'aurait pu le forcer à se lever de la chaise où il était vissé.

Il entendit la porte se refermer. Le silence vibra durant quelques secondes. Puis elle monta dans sa voiture et le moteur ronfla avant de disparaître tout à fait. Marianne fit claquer sa langue.

« Drôle de fille, déclara-t-elle. Aucune éducation mais un certain feu intérieur, tu ne trouves pas?

— Un peu à côté de ses pompes, tout de même. Tu sais comme j'ai horreur d'avoir affaire aux parents d'élèves. Ça n'est jamais très sain.

— Et sinon, comment tu la trouves? »

Il s'esclaffa. « Tu es impayable. » Il s'alluma une cigarette tandis qu'elle le considérait en souriant. Puis il consulta sa montre. « Nous partons dans une demi-heure, annonça-t-il.

— Ça va, je me sens parfaitement bien.

— Une demi-heure, répéta-t-il. Ne traîne pas. Je te le dirai lorsque j'estimerai que tu es de nouveau en état de conduire. Aujourd'hui, c'est hors de question. Pas tant que tu n'auras pas repris des forces. Je viendrai te chercher à midi.

— En tout cas, vous n'aviez pas l'air très à l'aise, tous les deux.

— Tu n'as pas trouvé son intrusion gênante? Moi si. J'espère qu'elle ne donnera pas à d'autres la mauvaise idée de rappliquer ici au moindre carnet noirci par leur progéniture. Surtout aux aurores. Si elle est à mon goût ? C'est ce que tu veux savoir ? C'était la question ? »

Elle fit demi-tour et se dirigea vers sa chambre. Il la suivit, s'arrêta sur le seuil.

« Tes soupçons deviennent insupportables, soupira-t-il. Je voudrais t'y voir avec une belle-fille disparue et un mari à la guerre. Je voudrais voir que tu ne cherches pas un peu de réconfort, à échanger quelques mots avec autrui pour ne pas te sentir trop seule. Pourrais-tu faire un effort de compréhension ? Avoir de l'empathie ? Te débarrasser de ton idée fixe ? Marianne ? »

Elle était en combinaison, penchée sur un tiroir de sa commode. Le jour où il avait surpris sa mère dans cette tenue, elle l'avait saisi à la gorge et lui avait fait rebrousser chemin jusqu'à la porte d'entrée et l'avait flanqué dehors alors qu'il était en pyjama, n'avait que huit ans et que soufflait un fort vent du nord qui menaçait de le renverser à chaque seconde, de l'emporter comme un fétu — mais il préférait ça aux ténèbres de la cave.

À midi, Myriam n'avait pas réapparu. Ce n'était pas faute de l'avoir guettée durant toute la matinée, de s'être montré dans chaque bâtiment, d'avoir écumé la cafétéria et ses parages, d'avoir laissé la porte de son bureau ouverte, etc. La surprise qu'elle lui avait causée quelques heures plus tôt, si perturbante qu'elle fût, avait décuplé son désir de la revoir, au point qu'après avoir longuement examiné le steak saignant qu'il avait commandé pour sa sœur, celle-ci lui demanda s'il n'avait pas forcé sur la caféine car il semblait ne pas pouvoir tenir en place. «Tu es visiblement ailleurs, conclut-elle. C'est tout à fait délicat de ta part.»

Il ne servait à rien de protester du contraire. Il n'avait aucun moyen d'y remédier mais était absolument conscient de son état — fût-il incapable de lui donner un nom.

À la suite d'une intoxication alimentaire aux fruits de mer — ou aux filets de perche —, il avait attrapé une forte fièvre quelques années plus tôt, lors d'une réunion de professeurs concernant la tenue de certaines élèves, et les effets de cette fièvre, pour autant qu'il s'en souvenait, ressemblaient plus ou moins à ça — les tremblements en moins. C'était comme de mettre un pied dans un monde inconnu — le vertige s'accompagnant d'angoisse et d'irrésistible attraction.

«Mange, lui dit-il. Tout va bien.

— À te voir, on ne le dirait pas. Toi, tu ne manges rien?»

Il y avait du monde et le brouhaha tombait bien car il n'autorisait aucune conversation sérieuse et permettait de garder un œil sur les entrées et les sorties. Depuis qu'elle s'était littéralement enfuie de chez eux, de bon matin, il avait très envie de lui dire quelques mots, il avait très envie de se racheter pour le timide accueil qu'il lui avait réservé — quelques poignées d'heures à peine après le formidable exercice qu'elle lui avait imposé sur le toit de la galerie marchande.

Il ne savait pas ce qui lui arrivait. Il avait besoin de prendre un ou deux Doliprane® à défaut d'en savoir davantage sur ce qu'il couvait. L'inconvénient, lorsque l'on perdait ses parents trop tôt, tenait à ce que l'apprentissage restait en plan — suspendu. Bien des notions n'étaient pas transmises, bien des données manquaient à l'appel. Bien des sentiments n'étaient même pas catalogués.

Le soir, il se sentit carrément mélancolique. Oppressé. Il n'avait pas pu tenir très longtemps compagnie à sa sœur et, bien vite, était monté s'enfermer dans sa chambre. Était tombé en travers du lit, les bras croisés sur la poitrine, le regard au plafond, dans le crépuscule silencieux. Pris d'une idée lumineuse, il se jeta sur le carnet qu'il transportait partout depuis des années pour le cas où il se passerait quelque chose, mais il n'avait rien réussi de bon jusque-là, rien qui aurait pu lui redonner espoir.

Il attrapa le stylo glissé dans les spirales, s'apprêta à écrire la date, mais il ne se passa rien. Sans plus de succès, il traça sur le papier plusieurs cercles d'un geste rapide, mais ce putain de stylo n'avait plus d'encre. « Putain ! Juste Ciel ! » grogna-t-il tandis qu'il commençait à courir dans tous les sens entre les murs de sa chambre à la recherche de quoi écrire. L'émotion était un produit rare qu'il fallait saisir dans l'instant — plus son intensité était forte, plus sa durée était brève. C'était en de telles occasions que l'on pouvait voir ce que l'on valait comme écrivain, sans se raconter d'histoires.

Essoufflé, il jeta un regard sur son ordinateur. Il pensa plutôt mourir, plutôt mourir. Mais il finit par céder et s'installa devant l'écran.

Il avait plusieurs messages. L'un d'eux venait de Myriam. « Êtes-vous là ? » demandait-elle. Il le relut plusieurs fois. Il avait été envoyé aux dernières lueurs du jour, soit moins d'une heure plus tôt. « Hello, répondit-il. Comment allez-vous ? »

Il se leva, s'en alla fumer une cigarette à la fenêtre, dans la revigorante fraîcheur de la nuit étoilée — l'odeur du printemps qui tombait des bois environnants, année après année, dévalant soudain, sans coup férir, la colline en direction du lac, chaque fois le stupéfiait. Quelle meilleure cigarette de la journée que celle que l'on grillait là, songea-t-il en admirant la petite princesse qu'il tenait entre les doigts. De la lumière brillait au rez-de-chaussée, signe que sa sœur n'était pas couchée et contemplait peut-être le même paysage que lui en s'en fumant une. Le jardin en était éclairé jusqu'à la route.

Si la maison semblait la même, ils avaient fait reboucher la piscine, fait raser le jardin et tout fait replanter, tout fait transformer, avant de réintégrer les lieux, si bien qu'aujourd'hui, quarante ans plus tard, il n'existait plus la moindre trace des événements qui s'y étaient déroulés. Les arbres étaient devenus de gros arbres, des bosquets avaient poussé, des allées s'étaient dessinées, un appentis avait été dressé, ainsi qu'une serre, et le gazon était désormais entretenu — Marc empruntait régulièrement la tondeuse autoportée des voisins et Marianne aimait jouer du sécateur pour lutter contre ses dépressions. Il se demanda si Myriam s'était endormie derrière son écran.

Il lui était tellement reconnaissant d'avoir déverrouillé ces portes à son intention, de l'avoir dessillé, quoi qu'il pût arriver par la suite. Tellement reconnaissant. Il espérait que des anges veillaient sur son sommeil, que son matelas était doux, brodé à la main. Au diable, désormais, les étudiantes. Au diable la fadeur. Au diable la chair fraîche mais lointaine et sans saveur, à partir d'aujourd'hui. La cible s'était déplacée vers le haut, vers les cimes. Et aucun retour en arrière n'était possible.

Annie Eggbaum appela, quoi qu'il en soit. Son message n'était pas très clair car elle semblait saoule et se trouver dans un endroit bruyant mais il en ressortait qu'elle était en colère après lui, très en colère, et lui demandait pour qui il se prenait, d'une voix assez forte.

Il commença par s'excuser puis l'envoya promener car elle ne voulait rien entendre.

*

94

Richard le convoqua deux jours plus tard et lui indiqua qu'il avait franchi la ligne.

« C'était la chose à ne pas faire, et vous l'avez faite, fit-il sur un ton admiratif. Je vous tire mon chapeau, vous savez. Je vous félicite.

— Je ne l'ai pas touchée. »

Richard couina comme s'il s'était coincé le doigt dans une porte. « Encore heureux. Oh merde, encore heureux. Vous savez qui est le père d'Annie Eggbaum? Oh mon vieux. Vous savez qui est Tony Soprano? » Les généreux donateurs se comptaient sur les doigts d'une main, par-dessus le marché. « Mais est-ce que je ne vous avais pas prévenu, camarade? Est-ce que je ne vous avais pas mis en garde? Nous ne voulons pas d'histoires, ici. Vous connaissez la situation. Nos budgets se réduisent un peu plus chaque jour. C'est une crise historique. Écoutez, je vais vous annoncer quelque chose qui va vous faire mal. Mon vieux, cette fois, vous ne me laissez pas le choix. »

Marianne le tira de ce mauvais pas. Il ne savait pas au juste jusqu'où elle était allée mais elle demeura silencieuse et s'employa durant plusieurs jours à fuir son regard, refusa de partager ses repas avec lui, de monter en voiture avec lui, sans lui donner plus d'explications. De son côté, Richard Olso affichait un air satisfait.

« Mais faites-vous oublier, d'accord? Mon vieux,

c'est un dernier avertissement. Écoutez bien ce que je vous dis. Dernier avertissement, d'accord ? »

Personne n'avait envie de se retrouver sur le bord de la route par les temps qui couraient. La température n'était pas encore idéale. Si l'on ne possédait pas une solide carapace, mieux valait regarder à deux fois avant de jouer les matamores. Il opina. Il n'avait rien fait mais il connaissait l'état des forces en présence — Richard les connaissait aussi. Il baissa la tête et sortit en silence.

Mais ce ne fut pas tout. Il n'était pas plus tôt tiré d'affaire qu'on l'agressa sur le parking à la fin de la journée, comme il sortait du bureau de Martinelli, totalement perdu dans ses pensées, ruminant la fragilité, l'insignifiance des griefs que l'on avait contre lui. Tout cela se révélait parfaitement écœurant. Avec un taux de chômage qui atteignait des sommets, que pouvait-on faire aujourd'hui de sa fierté, franchement, s'interrogeait-il quand un violent coup sur la tête le projeta au sol.

Il n'y eut pas de message. Les deux types qui l'avaient rossé et laissé sur le carreau n'avaient pas ouvert la bouche. Mais il ne fallait pas se torturer l'esprit durant des heures pour savoir de qui provenait ce cadeau. Lorsqu'il fut de nouveau capable de tenir sur ses jambes et d'attraper son mouchoir pour éponger le sang qui coulait de son nez, il se traîna lourdement jusqu'à une pharmacie, se laissa choir sur une chaise et s'abandonna aux mains d'un jeune homosexuel en blouse, au regard désapprobateur. Il avait une joue griffée, les lèvres gonflées comme des Francfort, les mains bleuies par les coups qu'il avait reçus en protégeant ses parties sexuelles, les cheveux en bataille, le souffle court, et tout cela ressemblait fort à du crêpage de chignon.

Quand il se sentit mieux, il remercia le jeune pharmacien et retourna vers le parking avec un sac de glace artificielle pressé sur le côté de son visage le plus brûlant du moment — après quoi il changeait de joue.

Les Eggbaum semblaient être de vrais forcenés. Le père comme la fille. Il s'examina dans le rétroviseur, grimaça en raison de ses côtes. Mais ce n'était pas la première raclée qu'il recevait de sa vie et il eut presque un sourire après avoir constaté qu'il avait encore toutes ses dents — et surtout les trois implants hors de prix que Marianne lui avait généreusement offerts pour ses cinquante ans. Au fond, il s'en tirait à bon compte. Ces gens-là ne connaissaient aucune règle, apparemment.

Ce n'était pas davantage la première fois que Marianne le voyait dans cet état. Combien de glace lui avait-elle apportée, combien de pansements lui avait-elle appliqués, d'aspirine lui avait-elle fait prendre depuis qu'ils étaient en âge de se tenir debout?

«Tu courais donc après cette fille? fit-elle sur un ton égal.

— J'ai refusé de lui donner des cours particuliers. C'est elle qui me courait après. J'espère que tu saisis la nuance.»

Comme elle était penchée sur ses plaies et ses bosses, il disposait par la force des choses d'un accès visuel direct sur ses charmes, d'une vue plongeante sur l'intérieur de son kimono vert pomme. Il y avait là, en temps normal, de quoi le rendre nerveux, de quoi l'obliger à sortir afin de respirer un peu d'air frais. Leur relation, naturellement, n'avait guère de chances d'être simple. Rien n'était évidemment très clair. Ils avaient dû très tôt se serrer dans les bras l'un de l'autre, se toucher, s'étreindre, se caresser, pour enrayer leurs peurs, étouffer leurs sanglots, se cramponner l'un à l'autre aussi longtemps que la tempête durait ou qu'on les avait envoyés dans leur chambre sans manger. Petite, Marianne pleurait abondamment, de préférence dans le creux de son épaule, et il devait aller se changer ensuite, la mort dans l'âme, semblant avoir reçu quelque cuvette remplie d'eau saumâtre en pleine poitrine.

Ses larmes étaient tièdes et salées. Il connaissait l'odeur de sa transpiration, l'odeur de ses cheveux et d'autres odeurs encore qui agissaient parfois sur lui comme la foudre, mais la vue de sa poitrine, ce soir-là, ce spectacle devant lequel il aurait frémi comme une faible feuille en temps normal, ses seins en forme de poire, leurs bouts aperçus, le laissèrent de marbre.

Sans doute son état physique y était-il pour quelque chose. La volée qu'on lui avait administrée n'avait certes pas déclenché d'humeur libidineuse en lui, mais était-ce une explication suffisante ?

Il se fit désinfecter, badigeonner d'arnica, puis ils fumèrent une cigarette.

Il n'en revenait pas. D'éprouver une telle indifférence. Ce vide inattendu, à l'intérieur de lui. « Qu'y a-t-il ? » demanda-t-elle en s'immobilisant une seconde. Il cligna des yeux pour lui faire signe que tout allait bien, ébaucha un sourire. Son front et sa mâchoire lui cuisaient. Respirer par le nez n'était pas facile. Ses mains étaient douloureuses.

Mais si c'était le prix, se disait-il, à payer pour avoir la paix ? Pourquoi pas, après tout ? Si les Eggbaum s'estimaient quittes, il était d'accord pour s'en tenir là. Il avait offensé Annie Eggbaum et avait reçu une trempe en échange. D'accord. Et Dieu, comme cette cigarette était bonne, se disait-il en observant la nuit calme dans le jardin.

Myriam était la cause de l'étrange phénomène, bien entendu. Jamais aucune de ses jeunes conquêtes ne l'avait empêché d'être ultra-réactif au corps, à la présence physique de sa sœur. Jamais aucune de ses sympathiques étudiantes ne l'avait comblé au point d'éprouver pour Marianne ce qu'il éprouvait aujourd'hui, à savoir rien du tout, si improbable que ce fût — du moins d'un point de vue strictement charnel.

Dieu sait que le kimono vert avait nourri un grand nombre de ses fantasmes. Sa simple vue, quelquefois, même lorsqu'il était pendu dans l'armoire, sur un cintre sans âme, le plongeait dans des abîmes. Certaines filles avaient noté que le rapport qu'il entretenait avec sa sœur se trouvait constitué de lourdes chaînes — et bien que ces filles ne fissent dès lors plus long feu en sa compagnie, il devait leur concéder un certain flair et reconnaître qu'elles avaient raison. Mais c'était comme de regarder le soleil en face, en plein midi, il était aussitôt aveuglé, incapable de prononcer un mot, incapable de dire ce qu'il ressentait.

Ce temps-là était-il révolu ? Quoi qu'il en fût, sortir Annie Eggbaum du jeu n'en demeurait pas moins la saine et seule attitude à adopter — sous peine de basculer dans un chaos inextricable. Il passa la pointe de sa langue sur ses lèvres endolories. Il remarqua que Marianne le regardait.

« Je ne suis pas le détraqué que tu imagines, soupira-t-il. Je n'ai pas eu d'aventure avec cette étudiante. Mais ce type, c'est Tony Soprano. Tu vois qui est Tony Soprano ? Non ? Tu sais, ne crois pas vivre dans un pays civilisé. La plupart des gens vivent encore comme au Moyen Âge.

— Pendant ce temps, je me sacrifie pour toi. Pour t'éviter d'être mis à la porte. Je me sacrifie pour toi et voilà toute ma récompense. Eh bien, vois-tu, ça m'apprendra. »

Elle faisait partie des dernières femmes au monde à fumer des Gitanes. Et lorsqu'elle vous envoyait la fumée au visage, les alentours disparaissaient dans un brouillard terrible. « Bonne nuit », fit-elle en tournant les talons.

Au moins, pensa-t-il, elle recommençait à lui parler.

Il reconnaissait aujourd'hui s'être montré dur avec elle. Il s'était montré infernal aussi longtemps qu'il n'avait pas posé la main sur une femme et admis qu'il ne ferait jamais qu'un piètre écrivain. Ensuite, après qu'il eut expérimenté l'une et accepté l'autre de ces découvertes, son esprit s'était apaisé dans une large mesure, son humeur s'était adoucie, il avait adopté une conduite moins brutale, moins sombre, moins exigeante, mais il était un peu tard pour rendre à Marianne un sourire qu'elle n'avait peut-être jamais eu.

Il souhaitait néanmoins la protéger. Dans la mesure du possible. La préserver. Il lui devait bien ça. En passant devant sa chambre, il donna quelques petits coups sur la porte pour lui souhaiter bonsoir. Il l'entendit pleurer. Il détestait l'entendre pleurer. C'était une chose qu'il ne pouvait supporter. De sorte qu'il retourna sur ses pas et enfila son manteau avant de sortir de la maison. Dehors, la lune brillait dans le ciel comme un diamant dans son écrin, littéralement. Il faisait frais. Il alluma une cigarette et s'avança dans le jardin, jusqu'à la route qui commençait à se couvrir d'un léger voile de brouillard flottant au ras du sol.

Il la traversa, puis s'enfonça dans les bois.

Au matin, il se réveilla dans la Fiat, complètement vermoulu, complètement frigorifié. La vapeur condensée sur le pare-brise formait un réseau de petites rivières argentées qu'il observa un moment avant de se décider à bouger. L'aube se levait à peine.

Comment avait-il atterri là ? Mystère. Qu'avait-il fabriqué durant toute la nuit ? Il remarqua la boue qui maculait ses souliers, séchait sur ses bas de pantalon, ainsi que sur son manteau. Ses mains étaient sales. Ses jambes, fourbues — mais heureuses. La balade semblait avoir été longue et sportive.

Difficile de savoir ce qui lui passait par la tête, de temps en temps. Lui-même n'en savait trop rien, pour parler franchement — la seule certitude qu'il avait, pour l'heure, étant qu'il mourait de faim.

Il ouvrit la portière, commença par sortir une jambe, puis l'autre, puis un bras dans la lumière dorée qui traversait le jardin comme une gerbe lumineuse, se disant qu'une demi-douzaine d'œufs ferait parfaitement son affaire. Une fois dehors, il s'étira en fixant l'azur bleuté, bâilla longuement, à s'en décrocher la mâchoire. Une claire matinée n'allait pas tarder à s'imposer, à chasser les ombres dans leurs derniers recoins. Des moineaux se tenaient sur les fils électriques, dans l'attente du rayon de soleil qui viendrait regonfler leur duvet, les délivrer du baiser glacé de la nuit.

La maison était encore silencieuse. Il accrocha sa casquette et son manteau dans l'entrée puis se dirigea aussitôt vers le frigo. Lorsqu'elle se sentait en assez bonne forme, Marianne passait au 20 %, ce qui demeurait à peu près mangeable, mais le 0 % était vraiment infect, d'une tristesse infinie, d'une laideur abjecte. Quoi qu'il en soit, il en décapsula un pot parfumé à la vanille et se l'administra avant de s'attaquer à quoi que ce fût d'autre.

Ce genre d'exercice, ces longues marches aveugles, plus ou moins, le mettait en appétit pour la journée entière. Marianne pensait qu'il était vaguement somnambule et, bien qu'elle n'appréciât pas beaucoup de le savoir traîner dehors durant toute la nuit, on ne savait trop où, ne jugeait pas utile de donner à cette affaire plus d'importance qu'elle n'en avait, de son point de vue — tout au plus lui avait-elle fait subir quelques séances d'acupuncture afin d'avoir bonne conscience, quelques séances d'hypnose aussi, mais rien de probant dans tout ça, rien de vraiment palpable n'en était sorti.

Il trouva des œufs. Un chien aboyait au loin tandis que le soleil surgissait au-dessus des bois. Pas de bacon ni de jambon, bien sûr — Marianne ne faisait pratiquement plus aucune course depuis presque un mois. Il baissa la tête et jura de s'en occuper. Il trouva quelques croissants congelés. Il regarda sa montre. Il avait le temps de passer une commande. Il devait acheter des steaks, des entrecôtes, des rosbifs entiers, toutes sortes de viandes — sauf le cheval — s'il souhaitait qu'elle se rétablisse et reprenne des couleurs.

Il regarda ses œufs cuire durant un instant puis leva de nouveau les yeux devant lui pour les poser sur le jardin ensoleillé, vibrant. Il avait parcouru un bon bout de chemin, c'était à peu près tout ce qu'il pouvait en dire. L'appétit qu'il éprouvait au retour.

L'odeur des bois collée à lui, l'odeur de terre humide et de feuilles mortes. De pierre, de sève et de résine. C'était tout ce qu'il pouvait en dire.

Quand soudain, cependant que les œufs grésillaient dans la poêle, Myriam se dressa devant lui, de l'autre côté du carreau, comme un diable surgissant de sa boîte.

Après une seconde d'hésitation, il coupa le gaz et lui fit signe qu'il arrivait. Un léger fourmillement parcourut tout son corps, sa bouche devint sèche — comme vers la fin des années soixante, lorsqu'il prenait un acide — tandis qu'il se portait à sa rencontre. Aucune étudiante ne lui faisait cet effet-là. Il ne savait pas où il mettait les pieds, avec elle. C'était aussi simple que ça. Était-ce la terre ferme, était-ce même une terre habitée? Comment savoir? Sur quels critères se fonder? De quels éléments de comparaison disposait-il? Sa sœur et lui n'avaient pas une grande expérience du monde qui les entourait, il en convenait — mais l'avait-on jamais entendu soutenir le contraire?

Elle se tenait près de sa voiture. Il s'aperçut qu'il avait un croissant encore congelé à la main, mais il était trop tard pour s'en débarrasser discrètement et donc il n'en fit rien et sentit ses doigts s'engourdir tandis qu'elle s'avançait dans sa direction d'un pas résolu.

Les mots commencèrent à se bousculer sur ses lèvres cependant qu'il la voyait s'approcher, s'emballèrent même, lorsqu'elle ne fut plus qu'à quelques mètres, mais il se retrouva bientôt plaqué contre le mur, les lèvres de Myriam collées aux siennes, leurs langues passant d'une bouche à l'autre, leurs corps étroitement épousés, avant d'avoir eu le temps de dire ouf. Avec ce chien qui continuait à hurler dans le lointain — le nombre de chiens errants avait augmenté parallèlement au prix des croquettes, aux pertes subies dans l'immobilier.

Épatant. Il n'y avait pas d'autre mot. Absolument épatant ce baiser qu'elle lui administrait sur le pas de la porte, sans avoir prononcé le moindre mot. Un véritable enchantement. Il la serra contre lui en fermant les yeux après avoir jeté le croissant dans les fourrés.

Lorsqu'il les rouvrit, parfaitement hébété, parfaitement extatique, les mains vides, le souffle court, fermement adossé au mur, elle remontait dans sa voiture sans plus d'explications, mettait le contact et disparaissait comme elle était venue.

Il demeura immobile durant quelques minutes, presque haletant, après que le bruit du moteur fut totalement englouti dans les brumes de l'aube. Les glycines qui encadraient l'entrée embaumaient l'air avec force. Il retourna manger ses œufs, mais plus rien ne pressait de ce côté.

À ce rythme-là, elle allait sans doute le rendre fou, se dit-il en s'adressant un vague sourire dans le miroir de l'entrée.

Il aurait aimé se confier à Marianne, cette fois.

Il n'avait jamais éprouvé ce besoin auparavant. Il aurait aimé lui demander son interprétation de l'étrange et fougueux baiser qu'il venait de recevoir, quel sens elle lui donnait, ce qu'elle en pensait, les pistes qu'elle proposait, et ci, et ça, ses conseils, même, auraient été les bienvenus, mais c'était impossible, malheureusement, il fallait y renoncer. Sa sœur n'était pas prête.

« Que se passe-t-il? fit-elle. J'ai entendu du bruit. »

Elle était échevelée, se réveillait à peine. Il remua les œufs qu'il avait remis à griller dans la poêle mais pour lesquels il n'éprouvait plus rien. « Non, tu as rêvé, répliqua-t-il. C'était sans doute la radio. Assieds-toi. Je t'ai préparé des œufs. Tu as complètement rêvé. »

Elle ricana, mais elle ne détenait aucune preuve de ce qu'elle avançait. « Et comment se fait-il que tu sois déjà debout? » marmonna-t-elle en fronçant les sourcils. Elle le considéra un instant, puis elle ouvrit la bouche mais aucun son n'en sortit. Il haussa les épaules, pour signifier qu'on n'y pouvait rien. De certaines choses, on n'était jamais près de guérir, voulait-il dire par là.

En fin de matinée — il avait demandé à ses élèves de remplir une feuille avec des choses qui leur traverseraient l'esprit durant la prochaine demi-heure, et dans l'ensemble le résultat n'était pas bien fameux, la maigreur de la récolte laissait perplexe, on ne pouvait prétendre que la puissance créatrice fût au rendez-vous ce matin-là, nombreux étaient ceux qui n'étaient même pas réveillés ou qui s'étaient sentis agressés par un exercice de cette nature, totalement impromptu, et particulièrement stressant un lendemain de week-end —, sortant de la classe, refermant son cartable, un crayon encore coincé entre les dents, il se vit entraîné à l'écart et informé de ce qui se tramait dans son dos par la bouche de leur délégué syndical — bien connu pour son cours sur les universités du haut Moyen Âge — qui suivait toutes ces histoires à la loupe et n'annonçait plus que de mauvaises nouvelles depuis le printemps 2007.

Son atelier d'écriture disparaissait, tout simplement. Son poste allait être supprimé. Celui de deux autres professeurs, également. De nouvelles économies étaient censées voir le jour à chaque instant, d'une manière ou d'une autre. Il fallait tenir envers et contre tout, psalmodiait le délégué en secouant la tête — et sans que l'on comprît bien de quoi il voulait parler. De mémoire de travailleur, on n'avait pas connu un tel merdier, poursuivait l'homme du syndicat. Il fallait voir les choses en face. Question de survie.

Il acquiesça vaguement et accepta la cigarette que le délégué lui offrait en poussant un soupir à fendre l'âme — et ajoutant : « Allez-y. Prenez-en deux. »

Une fois seul, il alla s'asseoir sur un banc, du côté des bâtiments de brique rouge qui abritaient la bibliothèque d'un côté et l'administration de l'autre, là où travaillait Marianne — il n'était pas sûr de vouloir lui parler immédiatement mais préférait la savoir dans les environs si besoin était. Perdre son travail en avait déstabilisé plus d'un et il n'avait pas la certitude de réagir plus intelligemment qu'un autre dans une telle situation.

Il y avait encore des gens pour fumer des saloperies de Marlboro, songea-t-il en allumant celle qu'il avait glissée derrière son oreille en apprenant qu'il était foutu à la porte, en apprenant que Richard et Martinelli s'étaient entendus pour le virer finalement, pour l'éjecter sans plus d'égards en dehors du système scolaire.

Marianne s'était-elle donc livrée pour rien aux appétits de Richard Olso? Ce salaud l'avait-il donc trompée à ce point? Cette simple pensée lui donnait la migraine. Par chance la journée, bien qu'ensoleillée, n'était pas trop chaude. Car dans l'état où il se trouvait, le cerveau en ébullition, l'insolation l'aurait foudroyé sur place.

Comment avait-elle pu être assez stupide pour faire confiance à une telle canaille? Qu'espérait-elle donc?

« Je te l'avais bien dit, n'est-ce pas. Je t'avais dit que c'était une erreur. »

Elle avait pris place à côté de lui, sur le banc, aussitôt qu'elle avait reçu son message. Elle tenait son cou enfoncé dans ses épaules, ses mains agrippées au banc, de part et d'autre, le regard fixé droit devant elle. « Ce - pu - tain - de - con - nard », fit-il sans élever la voix, en détachant les mots, en hochant la tête avec résignation. Il se claqua les cuisses. « J'espère que tu lui as donné la récompense qu'il méritait. »

Le soir commençait à tomber. Les quelques heures écoulées depuis son licenciement avaient filé d'un seul trait, sans qu'il y prît garde.

« Que veux-tu dire, au juste ? » fit-elle sur un ton lugubre.

Il y avait un sandwich devant lui. Il n'avait rien mangé depuis le matin. Il haussa les épaules. « C'est sans importance, non ? Ce qui est fait est fait. »

Elle tourna la tête du côté opposé, en direction du crépuscule qui réservait ses dernières lueurs aux vitraux de la bibliothèque. « Je n'ai pas couché avec lui », déclara-t-elle.

Il sauta sur ses jambes. « Ah, je t'en prie ! Ne me donne pas de détails ! » s'emporta-t-il en marchant de long en large, les poings enfoncés dans les poches. « Garde-les pour toi, merci, fais-moi cette grâce. Enfin, il s'est bien foutu de toi, ton petit ami. Il s'est largement payé ta tête, comme on dit. »

Une fois de plus, elle ne lui adressa pas la parole durant plusieurs jours — la maison se transformait alors en tombeau silencieux et glacé. Il en profita pour méditer sur la situation qui était la sienne à présent et pour regarder quelques films dans le salon aussitôt qu'elle partait travailler — toujours aussi muette qu'une carpe.

Le soir, lorsqu'elle rentrait, elle ne lui accordait pas

un seul coup d'œil et vaquait d'une pièce à l'autre en l'ignorant totalement. Très sale caractère. Qui n'allait pas en s'arrangeant. Vieillir commençait à faire peur, lorsqu'on y songeait.

« Je n'ai que faire de tes remerciements », lui écrivit-elle sur un malheureux bout de papier. Il venait d'avoir Martinelli en personne, et ce con de président lui avait annoncé, sur un ton jovial, s'amusant presque de la plaisanterie, qu'on avait sursis à son exécution — une mesure qui avait ému la majorité des professeurs, et en particulier Richard Olso qui s'était révélé son plus ardent défenseur. Pure magie. Sa chère sœur. Il voulait la remercier pour le mal qu'elle se donnait, une fois de plus, lui dire qu'il n'était pas dupe de ce soudain retournement venant de la part de Richard, mais compte tenu du climat que son fichu silence instaurait, il allait devoir remettre ses amabilités à plus tard, quand elle serait en mesure de les entendre.

Comment s'y prenait-elle, quel philtre utilisait-elle, comment parvenait-elle à obtenir ce qu'elle voulait? Si elle ne couchait pas avec lui, comment le payait-elle? Cette simple question le faisait frissonner. Non qu'il pensât qu'elle n'eût jamais fait aucune rencontre durant toutes ces années, qu'elle ne fût qu'une de ces vierges un peu toquées par cinquante années d'abstinence, mais avec Richard Olso, le contexte, le registre, était différent. Ce n'était pas un homme qu'elle avait rencontré dans un bar ou croisé dans une soirée. C'était l'homme qui lui avait soufflé les clés du département de littérature. Celui qui n'y connaissait pratiquement rien, qui n'avait pratiquement aucune oreille, qui ne vibrait pas à la magie de l'équilibre, mais vraiment un type d'un autre âge, adorateur de quelque vieux Goncourt dont personne ne se souvenait, de poètes empesés ou de jeunes talents exécrables, un lecteur lamentable, en tout cas, toujours à côté de la plaque, toujours du mauvais côté — comment pouvait-on être aussi aveugle à la lumière, comment pouvait-on être d'une telle pauvreté intérieure? Renversant. Absolument renversant.

Penser aux différentes attentions que Richard Olso parvenait à obtenir de Marianne, même si elle n'appelait pas ça « coucher », l'indisposait, le blessait profondément — et qu'il en fût la cause n'arrangeait rien —, pour toutes ces raisons.

Quoi qu'il en fût, il était donc dispensé de libérer son bureau et c'était une chose appréciable. Le chaos qu'il anticipait avec terreur, le désordre total à la pensée duquel il pâlissait par avance, le bouleversement de son espace de 9 m^2 — jusqu'à la vue sur le lac, entre les eucalyptus, sur une portion des Alpes enneigées, lointaines, qu'il avait presque faite sienne —, par bonheur, n'auraient pas lieu. L'alerte était levée. Il envoya un courrier à ses élèves afin de les prévenir de sa réintégration dans les murs de leur vénérable université — et leur demander de se plonger dans Nabokov, d'en étudier chaque page avec soin, sans plus d'explications, à moins qu'ils n'eussent des doutes sur la notion de justesse, de mécanique horlogère —,

111

puis il s'accorda quelques jours de repos supplémentaire en compensation du stress que sa perte d'emploi avait induit.

Le matin, aussitôt que le soleil se levait, la température grimpait et l'on pouvait s'installer dehors, avec un pull et une bonne écharpe.

Penser à Myriam provoquait une sorte de pincement — qui pouvait se poursuivre assez longuement, à mesure que la journée avançait. Regarder un film avec Ben Stiller apportait quelque répit. Jusqu'au moment où il partit à sa recherche. N'y tenant plus. Leur baiser datait à présent d'environ une semaine, mais chaque minute, depuis, avait duré une éternité.

Il reprit ses cours et s'éclipsa en fin d'après-midi pour se rendre directement chez elle.

*

Il fuma une cigarette sur le trottoir d'en face. Plus tard, il en fuma une autre, allongé près d'elle, dans la pénombre de la chambre, ça ne la dérangeait pas. Fumer au lit lui arrivait parfois, déclara-t-elle. Il lui toucha la tempe, ses mèches que la transpiration avait collées. Elle était mince, presque maigre, mais d'une maigreur excitante. Des seins fermes et pointus, blancs et roses.

Puis il se leva sans un mot et se rhabilla dans un état second. Le jour commençait à filtrer entre les rideaux tirés. Elle ouvrit un œil mais resta sans bouger, observant comme il se coiffait d'une main songeuse, enfilait son caleçon, faisait jouer sa nuque — un parfait zombie.

Il se retourna sur le pas de la porte pour lui faire signe, mais Dieu sait ce qu'il regardait vraiment. Ses yeux étaient vides.

Il regagna la rue calme, encore endormie. Levant les yeux, il l'aperçut derrière sa fenêtre — une statue de Vierge enluminée, éclairée à la bougie, un tableau d'une beauté relativement effrayante. Il pressa le pas.

La fille de la cafétéria ouvrit pour lui. Il lui offrit une cigarette. Les premiers clients n'étaient pas encore arrivés. En terrasse, les tables étaient couvertes de rosée, les parasols luisaient. Le ciel devenait bleu. Des journaux étalés sur le bar, il ressortait que la fin du monde était proche — ce dont plus personne ne doutait tant les preuves s'accumulaient, tant l'inexorabilité de la chose était avérée. Quoi qu'il en soit, son horoscope était bon, la période était faste. Une rencontre n'est pas impossible. Ouvrez l'œil. D'ordinaire, il évitait les viennoiseries et les tartes pleines de sucre, mais il avait besoin de reprendre des forces tandis que ses œufs grésillaient en cuisine, que ses toasts grillaient. Il tendit la main vers les croissants tout en restant penché sur un article qui rappelait quelques conseils élémentaires à suivre en cas d'explosion nucléaire, dans l'hypothèse où la centrale du coin volerait en morceaux ou encore un laboratoire de l'armée. Restez cloîtré chez vous. Ne bougez pas. Attendez que l'on vienne vous porter secours. Ne prenez aucune initiative. Faites le 112. Etc.

Il ne referma pas sa main sur un croissant — sans doute à bonne et douce température, cette fois —, mais sur une autre main, sur des doigts, sur ceux de l'inspecteur qui avait enquêté sur la disparition de Barbara, celui-là même, comme il le découvrit en levant les yeux sur ce jeune type qui empestait l'après-rasage et lui offrait assurément — en dépit du côté forcé, artificiel, du résultat — son plus charmant sourire, interloqué.

Ils se pardonnèrent aimablement leur maladresse réciproque — l'inspecteur, quant à lui, avait été distrait par la lecture de ses messages.

Ils convinrent qu'une belle journée s'annonçait. Il s'était servi en premier, estimant que le plus vieux avait la priorité, et il trempait à présent le bout de son croissant dans son café, hésitant à quitter le comptoir pour se mettre à une table afin de déjeuner tranquillement. Mais il ne fallait pas oublier que ce type était un officier de police et personne n'avait envie d'envenimer ses affaires en déplaisant à l'un d'eux, aujourd'hui encore moins qu'hier, tant les droits du citoyen étaient bafoués, tant on avait affaire à des gens extrêmement ombrageux, chatouilleux, tout à fait disposés à vous jeter au fond d'une cellule sous le moindre prétexte.

La prison représentait le cauchemar absolu. Lorsqu'il y pensait, il préférait s'asseoir, le souffle court. Envisageait de se procurer des capsules de cyanure qu'il garderait sous la langue, plutôt que d'être enfermé. Le souffle lui manquait à cette simple évocation. Et qui prendrait soin de Marianne, s'il n'était plus là? Qui s'occuperait d'elle?

Il ne se sentait pas très frais dans ses vêtements de la veille, n'était ni lavé ni rasé, en sorte que, ne voulant pas faire trop mauvaise impression, il replia son journal afin de prêter attention à son compagnon qui avait commencé à l'entretenir de la météo pour les six prochains jours. Un sujet captivant — à moins de se laisser tenter par un séjour aux Antilles à la dernière minute, soldé à deux cents euros.

L'inspecteur devait avoir une trentaine d'années. Il était un peu gras. À l'entendre, ce n'était pas les croissants mais d'avoir arrêté la cigarette. L'alcool aussi, peut-être. Ou encore sa femme qui lui faisait un peu trop la cuisine, plaisanta-t-il. « On ne se méfie jamais assez des femmes, n'est-ce pas?

— Je ne vous le fais pas dire, inspecteur. Je vous reçois parfaitement bien. »

Il mourait d'envie d'interroger l'inspecteur sur les raisons de sa présence dans la cafétéria du campus, de si bon matin, mais il se contenait. Il ne commettrait pas la moindre erreur. Il leva les yeux et sourit à la serveuse lorsque les œufs arrivèrent.

«Vous êtes un professeur, dites donc, bien matinal…, observa l'inspecteur en louchant sur les œufs frits.

— Non, c'est exceptionnel, répliqua-t-il. C'est heureusement exceptionnel, sinon je ne tiendrais pas la cadence. »

Il dut fixer l'inspecteur durant une bonne quinzaine de secondes avant que l'autre ne comprît et n'opinât en souriant. « Pardon, je ne voulais pas être indiscret.

— Vous n'êtes pas indiscret, inspecteur. Je ne suis pas choqué que vous fassiez votre boulot, croyez-moi. On voit bien que la criminalité augmente, dans ce pays. »

L'inspecteur fit un signe en direction de la serveuse pour lui indiquer qu'il désirait la même chose, des œufs frits à son tour. Pendant ce temps, l'endroit s'était rempli, deux autres filles étaient entrées en action et un second cuistot avait rejoint les cuisines.

L'inspecteur était là pour une affaire de drogue sur le campus, mais il gardait la disparition de Barbara en tête. « J'ai parlé à sa belle-mère, l'autre jour. Je lui ai promis que nous faisions le maximum, mais que voulez-vous que nous fassions ? Nous n'avons pas de corps, nous n'avons rien. Et le monde est vaste, vous savez. »

Il acquiesça aux propos de l'officier de police, qui à présent le dévisageait.

« Êtes-vous tombé dans l'escalier ? fit celui-ci. Vous n'êtes pas obligé de me répondre. Ce n'est pas un interrogatoire.

— Dans un escalier, non. C'est si moche que ça ?

— Non... C'est un peu jaune. Un peu bleu. Votre lèvre est un peu fendue.

— Un peu fendue? Écoutez, des types m'ont flanqué une volée l'autre soir. Ils m'ont agressé sur le parking. Ils m'ont mis la tête au carré. Ne me demandez pas pourquoi. Qui sait même s'il y avait une raison. Aujourd'hui, des gens se font poignarder en pleine rue pour un oui ou pour un non, vous le savez aussi bien que moi. Inutile d'aller chercher une réponse à tout. Les gens deviennent de plus en plus dingues, dans l'ensemble. Non? Vous ne trouvez pas? Ils m'ont bien arrangé, en tout cas.

— Je sais. Nous sommes débordés. Je suis désolé. Mais ça devient ingérable. Le mal prend trop d'ampleur, dans ce pays. Si l'on ne peut plus sortir de son bureau et marcher jusqu'à sa voiture sans être passé à tabac par les détraqués du coin, c'est que ça ne va plus, c'est que ça ne tourne plus rond. Qu'est-ce qu'ils voulaient, selon vous?

— Mystère et boule de gomme. »

Cette fois, il l'aperçut à l'entrée, alors même qu'il prononçait le mot « gomme », blanche, les cheveux défaits, immobile, les yeux braqués sur lui. Quelques heures plus tôt, il tenait encore cette femme dans ses bras, se livrait avec elle à toutes sortes de caresses intimes — du début de la nuit jusqu'au petit matin, sans guère de répit —, la prenait dans toutes sortes de positions, jusqu'à l'épuisement total, jusqu'à ce qu'ils jouissent une dernière fois, vers cinq heures du matin, archirepus, laminés, mais cela ne suffisait pas apparemment, cela n'empêchait rien à en juger par le violent désir qui le submergeait de nouveau. Son appétit pour elle s'aiguisait une nouvelle fois comme un rasoir, repartait comme une flamme de la braise, dans un souffle brûlant, en sorte qu'il se leva vivement, posa un billet sur le comptoir sans attendre sa monnaie, s'excusant d'un mot auprès de l'inspecteur et, manquant à la discrétion la plus élémentaire qui s'imposait dans une situation de cet ordre, il marcha droit sur elle, au mépris encore une fois de toutes les règles qu'il s'était toujours imposées, il écarta les gens devant lui et marcha droit sur elle, en plein jour. En public. Sous le nez d'un inspecteur de police — qui observait la scène avec un intérêt manifeste.

L'affaire se déroula dans le bâtiment de brique rouge avoisinant qui, outre la bibliothèque, abritait la salle polyvalente que l'on avait entièrement refaite, dotée d'un équipement ultramoderne et pourvue de toilettes auxquelles les étudiants n'avaient pas accès. Il la guida. Il ne se sentait pas très à l'aise avec l'idée qu'il la conduisait en un lieu qu'il avait utilisé deux ou trois fois par le passé, pour des raisons presque similaires, mais le désir le dévorait totalement à cet instant, plus rien d'autre ne comptait.

Le plus drôle était qu'il s'était préparé à cette éventualité, qu'il l'avait envisagée maintes fois, se préparant mentalement à y faire face, à tenir bon, et voilà qu'il succombait dès le premier assaut, voilà qu'il perdait tout contrôle — et donc tout moyen de se protéger — tandis qu'il entraînait Myriam vers les toilettes.

La veille au soir, une fois sa porte franchie, il ne s'était pas écoulé plus d'une minute avant qu'il ne la possédât — en conclusion d'un long baiser étourdissant —, en sorte qu'ils n'avaient guère eu l'occasion d'échanger plus de quelques mots depuis qu'ils étaient devenus amants, s'il faisait le calcul.

Et voilà que les choses recommençaient. Comme si la parole venait à leur manquer dès qu'ils se trouvaient face à face. Ils dévalèrent les marches qui descendaient vers la scène puis bifurquèrent en direction des lavabos sans desserrer les dents. Jamais. Jamais. Jamais il n'aurait cru qu'un désir de cette taille puisse exister, qui puisse à ce point l'engloutir. Ils n'y allaient pas, ils y couraient. De véritables collégiens. D'insatiables jeunes chiens fous. Un miracle que leur chemin n'en croisât pas d'autre, celui d'une femme de ménage munie d'un seau, par exemple, ou d'un électricien errant.

Pendant qu'il soufflait, elle posa la main sur son épaule et en profita pour ôter sa culotte en dansant sur une jambe puis sur l'autre. Après quoi, elle retroussa sa jupe.

Il lui tardait de pouvoir l'inviter à déjeuner afin d'apprendre à la connaître, de découvrir qui elle était, quel genre de livre elle lisait, bla-bla-bla, de parler avec elle, et lui dire à voix basse à quel point tout cela était nouveau pour lui, à quel point il se sentait excité par ce nouveau continent, cette contrée stupéfiante et vierge qu'elle ouvrait devant lui, mais l'occasion n'allait pas se présenter demain, visiblement. Les choses ne prenaient pas le chemin de la promenade en barque, propice au bavardage.

Mais sans doute fallait-il faire preuve de patience, dans ce contexte, et accepter ces rencontres silencieuses qui pouvaient d'ailleurs se révéler la marque de relations adultes, de celles que l'on nouait avec des femmes adultes et pas avec des jeunes filles, justement, témoigner de ce cran au-dessus que l'on franchissait en se hissant aux côtés des premières, en étant accepté par elles, accepté dans leur jeu, admis dans la place en qualité de partenaire honorable. Peut-être, dans un premier temps, le silence était-il indispensable à l'éclosion de telles aventures. Peut-être fallait-il aussi le considérer comme la mouche de la truffe, peut-être signalait-il la présence d'une affaire sérieuse, en tout cas engagée sous de favorables auspices.

Quand ils eurent fini, ils s'écoutèrent souffler l'un et l'autre. Il était toujours agréable de revenir à la vie. Puis ils remirent de l'ordre dans leurs tenues respectives. Se lavèrent les mains. Échangèrent un regard muet, en les séchant, par miroir interposé.

Il riait au fond de lui en repensant aux deux ou trois étudiantes qu'il avait entraînées ici. Quel chemin parcouru, aujourd'hui, quel bond en avant, songeait-il. N'avait-il pas, au plus fort de l'affaire, poussé un faible gémissement et tremblé durant presque une minute contre elle après avoir déchargé? Avait-il jamais rien connu de semblable? Au fond, il n'était qu'un enfant.

Il l'avouait. Il n'y connaissait rien avant aujourd'hui. Il venait au monde aujourd'hui. Il se souvenait que l'une de ses conquêtes d'alors avait un faible pour les toilettes, pour l'odeur des toilettes, et qu'il trouvait ça du dernier cri en matière de maturité sexuelle. Il gloussa mentalement.

Il plaignait l'homme qu'il avait été jusqu'à présent, la pauvreté de son existence. Il haussa vaguement les épaules puis alluma une cigarette. Lui demanda si elle en voulait une. Elle acquiesça. Il déclara qu'il serait heureux de lui offrir un café. Elle accepta. Il hocha la tête.

Ils retournèrent à la cafétéria — il fit littéralement un bond lorsque leurs doigts, comme ils marchaient côte à côte, s'effleurèrent, ce qui au moins la fit rire. La lumière du jour montait en intensité, le soleil allait bientôt surgir au-dessus des crêtes. Les étudiants qu'ils croisaient avaient encore des visages endormis, le gazon était encore humide, la langue de brume qui s'effilochait sur le lac semblait provenir de quelque mue mystérieuse et molle tombée sur terre durant la nuit.

Ils pénétrèrent ensemble dans la salle. Franchement, il ne connaissait pas de meilleur moyen pour s'attirer toutes sortes d'ennuis. Un véritable ravissement.

Richard Olso lui expliqua dès le lendemain à quel point étaient mal vus les rapports un peu trop amicaux qu'entretenait certain professeur avec la belle-mère de cette élève disparue, cette petite Barbara dont on était toujours sans nouvelles.

Il écouta sans rien dire, se demandant comment de telles choses étaient possibles. Parfois, lorsqu'il considérait Richard Olso, l'examinait de la tête aux pieds, fixait sa vilaine figure, sa ridicule barbiche, comme à cet instant, le sacrifice de Marianne prenait toute sa valeur. La pauvre. La pauvre. Mais aussi, il ne lui avait jamais rien demandé de la sorte. Il n'aurait jamais pu lui demander une telle chose. Personne ne lui avait rien demandé. Il ne pouvait pas prendre cette charge sur ses épaules. Il ne pouvait assumer ça. Hors de question. D'ailleurs, elle n'était pas très claire, de son côté. Elle ne pouvait pas le regarder en face quand il remettait la question sur le tapis. Elle n'avait jamais formellement admis que Richard lui déplaisait, jamais réellement, pas une fois, cet air faux cul qu'elle avait en disant non, pas du tout, secouant vivement la tête, alors que ça crevait les yeux, alors qu'à l'évidence elle était loin d'être insensible à l'intérêt qu'il lui portait.

Richard Olso se plaignit qu'il ne l'écoutait pas. « Écoutez, mon vieux, je vais bientôt ne plus savoir par quel bout vous prendre, vous savez. Marianne le sait. Je ne pourrai pas toujours intervenir. Mais qu'est-ce qui vous prend de tourner autour de cette femme, vous le faites exprès, ou quoi? Dites-moi, c'est la seule que vous avez trouvée? Vous êtes sûr d'avoir bien cherché? » Il se formait une tache lumineuse au cœur de l'océan noir que constituait le fait d'être viré de son travail, et ce gisement de lumière provenait d'un sentiment de liberté retrouvée, de ne plus avoir à subir aucune oppression, d'aucune sorte, d'où qu'elle vienne, de n'avoir plus personne au-dessus de soi. En dehors du Tout-Puissant. Malheureusement, il n'était pas viré et Richard Olso restait son supérieur.

Quoi qu'il en soit, il n'avait pas l'intention d'étaler leur relation au grand jour L'épisode de la cafétéria, il en était conscient, ne procédait pas d'un comportement très malin, très responsable de sa part. S'afficher avec elle en public. Se montrer pratiquement au bras d'une femme. Lui. Un homme dans sa situation. Non qu'il regrettât cette bravade, certainement non, car il en avait goûté chaque instant, chaque minute, mais il ne pouvait pas se permettre de jouer avec sa sécurité, il ne pouvait pas s'offrir ce luxe.

Il devait réactiver les protections autour de lui. « Très bien, Richard, je vais vous faire une promesse. Vous n'allez plus entendre parler de cette histoire. Je vous promets une discrétion totale. Aucune rencontre sur le campus et même aux alentours. Aucun remous. Aucune vague. Est-ce que ça vous convient ?

— Marc, je ne suis pas votre ennemi, est-ce que vous le savez ?

— N'importe quel homme qui tourne autour de ma sœur est mon ennemi. Je plaisante.

— Nous pourrions faire bon ménage, vous et moi. Mais ça ne semble pas vous être venu à l'esprit.

— Ça ne semble pas m'être venu à l'esprit? Vraiment?

— J'ai envie de faire un barbecue, dimanche. Vous viendriez?

— Si je viendrais à votre barbecue?

— Oui, c'est exactement ça.

— Dimanche? Ce dimanche?»

Quand il en parla à Marianne, elle retrouva subitement la parole et l'interrogea à propos de ce bruit qui courait sur cette femme et lui.

« N'écoute pas ce qu'on raconte, lui dit-il. Je n'ai rien fait d'autre que de boire un café avec elle. Ça va. Ça ne devrait pas m'envoyer en enfer. Ça va. Ne commençons pas.

— C'est un peu commode, non?

— Il ne s'agit pas de savoir si c'est commode ou non. Il s'agit de refuser un affrontement qui n'a pas lieu d'être.

— Un affrontement? Quel affrontement? Toi et ta putain pouvez bien crever la gueule ouverte. »

Sur ces mots, elle s'esclaffa. Il lui tendit un verre de vin blanc et se tourna vers le crépuscule qui orangeait l'horizon avec de la poudre. Les histoires circulaient vite, se diffusaient presque instantanément. Leur incursion dans les toilettes de la salle polyvalente et le solide petit déjeuner qui s'était ensuivi — ils avaient fait main basse sur un panier garni de croissants frais en attendant les œufs et les gaufres qu'ils avaient commandés — ne dataient que de la veille, mais la rumeur, sur le campus, qu'un professeur de littérature appliquée frayait avec la femme d'un soldat envoyé en Afghanistan, courait déjà sur toutes les lèvres.

Il était bien placé pour savoir ce que Marianne ressentait pour la raison qu'il l'avait éprouvée cent fois lui-même, cette peur de l'abandon, cette abominable peur d'être abandonné, de ne pouvoir prétendre à aucun secours — mais c'était lui, le garçon, elle était l'aînée mais c'était lui, le garçon, aussi devait-il montrer l'exemple, quitte à serrer les dents un peu plus fort lorsque les ennuis arrivaient — et ils n'avaient jamais tardé, aussi longtemps que leur mère avait dirigé les opérations.

Il n'avait bien entendu aucune intention de faillir à son rôle vis-à-vis de sa sœur. Sa propre santé en dépendait. Ne lui avait-il pas épargné, dans une large mesure, l'existence de ses aventures passées? Ne s'était-il pas montré le plus discret des hommes? Lui avait-il fourni quelque sérieuse raison de voir sa position menacée?

Il s'assit près d'elle et lui massa les pieds. Il se sentait en grande partie persuadé qu'il ne fallait rien changer à tout ça, qu'ils avaient miraculeusement réussi à atteindre une sorte d'équilibre — mais quel équilibre, quel monstrueux équilibre. Tant de fragilité sidérait. Tant de faiblesse déconcertait. Rares étaient ceux qui avaient parié que le frère et la sœur parviendraient à reprendre pied, un jour. Et qu'ils en fussent là où ils en étaient aujourd'hui, si l'on mesurait le chemin parcouru, forçait le respect de ceux qui connaissaient l'histoire.

Il aurait fallu tirer un trait sur tout ça? Sur des instants comme celui-ci? Ne vivaient-ils pas ce qu'ils s'étaient promis l'un à l'autre, au plus fort de leurs épreuves? Ne connaissaient-ils pas enfin la paix, la satiété, la liberté, tout ce qu'ils avaient jamais souhaité, tout ce vers quoi ils avaient jamais tendu?

« Tout va bien, dit-il.

— Tout ne va pas bien, évidemment. Tu n'es pas obligé de dire n'importe quoi, c'est très agaçant. »

Il reposa les pieds de Marianne et s'alluma une cigarette. L'an passé, ils avaient investi dans ce canapé haut de gamme, incroyablement confortable et spacieux — un pauvre type avait follement fait monter les enchères mais ils avaient tenu bon, ils avaient eu ce fils de pute aux alentours de trois heures du matin et étaient devenus propriétaires de cette folie pour environ dix fois le prix d'un canapé normal, mais ils ne le regrettaient pas un instant, tout comme l'acquisition de leurs literies respectives qu'ils avaient choisies avec soin après avoir visité à peu près la totalité des boutiques en ligne de la planète, il se souvenait de leur excitation à l'idée de posséder chacun leur lit et les oreillers, les draps, les couvertures qui allaient avec. Il s'adossa. Songeant qu'il fallait avoir dormi longtemps par terre, à même le sol et durant des années, pour apprécier pleinement la qualité du siège sur lequel il était installé.

Il s'y était arrêté un soir avec une étudiante — ils avaient profité d'une grève sauvage qui paralysait le pays tout entier et bloquait Marianne pour la nuit au fond d'une province —, et l'expérience avait été concluante. Le rembourrage n'était pas tout. Outre la qualité des ressorts et la densité de la mousse, également admirables, le contact du cuir qui l'habillait — un magnifique chevreau épais et souple, troublant — rendait tout chose, à en croire l'étudiante, pour peu qu'on s'y étendît nu et qu'on y tortillât plus ou moins les fesses avec soin.

« Écoute-moi, lui dit-il — et elle s'interrompit dans la contemplation de ses orteils pour lever les yeux sur lui —, écoute-moi, écoute-moi bien, premièrement, tu n'as aucune inquiétude à avoir et tu n'en auras jamais de mon côté, je ne pensais pas qu'il était nécessaire de te le rappeler, tu peux dormir tranquille. Tu es ma sœur, je t'aime. D'une part. Maintenant, pardonne-moi, mais laisse-moi te faire remarquer, d'autre part, que je ne te fais pas toute une histoire à propos des rapports que tu entretiens avec ce con, de mon côté. Je pourrais, mais je ne le fais pas. Tu crois sans doute que ça me fait plaisir de te voir sortir avec ce...

— Sortir ?!

— Marianne, s'il te plaît. Qu'importe le nom qu'on lui donne. Et puis merde, appelle ça comme tu veux. En tout cas, je n'irai pas à son barbecue. Je n'irai pas manger des saucisses et m'enfumer dans son arrière-

127

cour. Très peu pour moi. Tu pourras tranquillement t'occuper de lui. Remercie-moi. »

Elle attrapa une pauvre statuette qui se trouvait à portée de main et la projeta violemment sur le sol où elle se fracassa en mille morceaux.

Il s'agissait d'une Sainte Vierge qui changeait de couleur avec le temps, comme il s'en vendait des centaines de milliers à Lourdes. Il faisait nuit, à présent. Leur père avait toujours encouragé leur mère à casser de la vaisselle plutôt que de ravaler sa colère, mais elle ne s'y était pas souvent résolue et le résultat était connu.

Au moins, Marianne cassait — et lui-même associait le bruit du verre, de la porcelaine brisés, de l'objet mis en miettes, à une libération, au tonnerre qui n'annonçait pas l'orage mais suspendait soudain les gouttes et ramenait le ciel bleu, conjointement au silence.

Il préférait quant à lui la marche — rapide, à travers bois — et le hurlement qui survenait quand il s'estimait suffisamment éloigné et seul, et le rugissement surgissait hors de lui comme le flot de sang d'un gros animal blessé. À chacun sa méthode. Sa mère aussi était du genre à crier, à se tordre les mains, à se rouler par terre, à s'arracher les cheveux. Par plaques entières. Au point qu'on aurait dit, parfois, qu'elle avait attrapé la teigne.

Il s'était longtemps demandé si le changement de couleur de la Vierge devait être considéré comme un miracle, ou au moins proposé comme tel, et il pensa qu'il ne la verrait plus et se rendit compte qu'il s'y était habitué et y jetait un coup d'œil au moins une fois par jour. Jusqu'à maintenant.

Les débris les plus fins brillaient sur le sol comme de la neige, du sucre pulvérisé. Il se leva et prépara un feu tandis qu'elle balayait les plus gros morceaux dans une pelle — si l'on pouvait appeler ça une pelle. Il ne regrettait pas de s'être montré aussi abrupt envers elle. Ce qu'elle acceptait de Richard, pour quelque raison que ce fût, se devait de lui être dûment compté, d'une manière ou d'une autre. Ce qu'elle aurait accepté de quiconque n'aurait sans doute pas été très agréable à imaginer pour lui, c'était entendu, mais Richard Olso était le pire d'entre tous. Il l'emportait sur tous les tableaux, sur toute la ligne. Aussi bien manquait-il une loi pour de telles sœurs, invraisemblablement capables d'aller vous dénicher le chien le plus galeux de tout le pays, l'amoureux le plus minable à cent lieues à la ronde, le parfait trou du cul destiné à vous gâcher la vie pour des siècles. Il manquait une loi sévère. Mieux valait avoir un frère, dans tous les cas. Mieux valait faire simple.

Le sien, celui qu'il aurait dû avoir, était mort-né — ou presque, il n'avait survécu que quelques jours. Ce frère était son grand regret. Ce frère aîné qui aurait au moins partagé son fardeau, qui aurait rendu la vie plus facile — et empêché que toute la suite n'arrive, pourquoi pas ? Combien de fois en avait-il rêvé ? Combien de fois l'image de ce frère l'avait-elle gardé en vie —

129

quand il était au plus bas, copieusement molesté, humilié ou privé de nourriture, le moral en berne?

Le simple fait de penser à ce frère éclaira son visage d'un aimable sourire tandis que les flammes commençaient à danser sur les murs.

Marianne ajouta quelques encens. C'était une chance qu'il eût l'esprit occupé par une autre femme car sa sœur, s'allongeant de nouveau sur le canapé, offrit à l'assistance le violent spectacle de son fond de culotte — ivoire, satiné. Une chance qu'il pensât exclusivement à une autre femme cependant que Marianne conservait sa pose impudique, plus ou moins innocente — ses longues jambes nues, ses cuisses blanches, sa jupe à demi troussée, le doux jet d'âcre fumée qu'elle propulsait rêveusement vers le plafond.

« Je sais comment en trouver une autre, déclara-t-elle.

— Vraiment? De quoi parles-tu?

— De la Sainte Vierge. D'accord? J'en achèterai une autre.

— Très bien. Prends-en deux. »

*

L'alcool attirait les étudiants et Richard les avait assurés que le bar serait garni — de même qu'il avait assuré les membres du corps enseignant que la chère serait bonne et leur absence impardonnable.

N'importe quel directeur de département organisant une fête était sûr de n'être point boudé, en règle générale, mais il l'était moins encore lorsque le président en personne faisait le déplacement en compagnie de son épouse et buvait votre champagne et dévorait vos grillades. Le jardin de Richard était passablement envahi. Le bougre profitait d'une belle journée de printemps et son barbecue ronflait — au moins ce type était-il doué pour cuire des saucisses et du blanc de poulet.

Il faisait bon, les femmes portaient des sandales. Marianne et lui firent leur apparition au moment où Richard mettait en route une nouvelle fournée de brochettes.

« C'est un plaisir de vous avoir, Marc, vous et votre sœur. J'espère que vous le savez. J'espère qu'il n'y a pas de malentendu à cet égard.

— Non, tout va bien. Vous me conseillez quoi ? Du pas trop gras, si possible.

— J'ai ce qu'il vous faut. Goûtez-moi ça.

— Vous croyez ?

— Approchez-vous, Marc, laissez-moi vous dire une chose. Je peux vous faire une confidence ?

— Non, Richard, j'aime autant pas. Je préfère vous le dire tout de suite. Je ne veux pas me retrouver détenteur des confidences de qui que ce soit. N'y voyez rien de personnel. Je ne veux pas de cette responsabilité-là. Je suis somnambule. Demandez à Marianne. Je parle en dormant. Je me promène et je parle. C'est aussi simple que ça. Pour le confidentiel, mon pauvre ami, gardez-vous bien de frapper à ma porte. Comme confident, je ne vaux rien. »

Derrière eux, quelques professeurs s'esclaffèrent à la vue d'une poignée de bambins qu'ils avaient amenés et qui s'affrontaient en grimaçant au pistolet à eau. Richard retourna quelques côtelettes en souriant.

« Marc, je voulais juste vous dire que j'appréciais votre venue. Vous savez, je suis conscient des efforts que vous faites. Je me mets à votre place. Je n'ai jamais eu de sœur, mais j'essaie de me mettre à votre place.

— C'est aimable à vous. Ça me réconforte. En tout cas, c'est très réussi, votre petite fête. Vous n'auriez pas de la moutarde anglaise, des fois ? »

Une demi-douzaine d'étudiants plus ou moins réquisitionnés s'affairaient d'un groupe à l'autre pour servir et veiller à ce que les enfants dont on avait lâché la bride avec soulagement n'allassent pas saccager l'intérieur de la maison, ouvrir le gaz, ou s'enfermer dans un placard ou ficher le feu — Richard savait tirer parti du poste qu'il occupait et n'avait aucun mal à trouver de la main-d'œuvre. Parmi eux, Annie Eggbaum. Il ne la remarqua qu'au moment où il fut plaqué contre elle, comme ils voulaient passer ensemble, venant de sens inverses, entre deux tables. Durant une seconde, ils restèrent collés l'un contre l'autre.

« Tiens, Annie, c'est vous ? » fit-il en gardant ses mains bien en vue.

Elle prit un air sombre.

Un peu plus tard, comme il s'extrayait d'un groupe qui comptait saisir le Parlement européen à propos du port du voile à l'école, elle se planta devant lui et lui demanda, les joues roses de colère, ce qui n'allait pas chez lui.

En plus de vingt ans de carrière, il n'avait jamais vu ça, un tel comportement, un tel manque de respect. Une telle insolence, une telle effronterie. Il avait beau avoir le double de son âge, elle le secouait sans ménagement, le poussait dans les cordes.

Il jeta un coup d'œil furtif autour d'eux et l'invita à parler moins fort.

« C'est quoi votre problème, hein, dites-moi ! » s'emporta-t-elle.

Sur le coup, il pensa qu'il faudrait sans doute l'étrangler pour qu'elle se taise, car non seulement elle ne baissait pas la voix mais son organe s'élevait à présent dans les aigus. Faute de quoi, il la saisit fermement par le coude et l'entraîna en souriant à l'écart.

« Nom de Dieu, mais vous êtes folle, fit-il entre ses dents. Qu'est-ce qui vous prend ? C'est pour cette histoire de cours ? C'est pour ça ?

— Vous savez bien que c'est pas pour ça, lui retourna-t-elle d'une voix sifflante, arrêtez de faire l'andouille.

— Pardon ?

— Vous m'avez parfaitement entendue.

— Attendez, ça ne va pas du tout. Annie, ça ne va

pas aller si vous le prenez sur ce ton. Vous êtes toute rouge. Vous avez attrapé une insolation ? »

D'un geste brusque, elle libéra son avant-bras qu'il tenait encore fermement. « Vous me faites mal.

— C'est possible. Vous voyez ces marques sur ma figure ? C'est moi qui vous fais mal ? Vous vous foutez de moi ? »

C'était son tour à présent de frémir de colère car non seulement elle risquait d'attirer l'attention sur eux mais il sentait venir, par sa faute, une de ces migraines carabinées dont il avait le secret. Il plissa les yeux et ajouta : « Faites-moi un scandale, Annie, et je vous jure que vous me le paierez cher, faites-moi confiance.

— Alors ayez un peu de respect pour moi.

— Hein ? J'ai beaucoup de respect pour vous. Ne vous inquiétez pas. Si c'est ça qui vous inquiète, je vous rassure. »

Elle le considéra sans un mot durant de longues secondes. « Vous ne vous rendez pas compte, c'est ça ? Est-ce que c'est possible ? Non mais, vous flirtez avec moi, vous me baratinez à mort, vous me donnez rendez-vous, vous me caressez les seins, et puis plus rien ? Vous trouvez ça normal ?

— Vous caresser les seins ? Non mais, attendez...

— Quand nous étions sur cette banquette.

— Oh, je vois. Vous appelez ça vous caresser les seins ? J'ai rattrapé le sucrier, voilà ce qui s'est passé.

J'ai rattrapé ce damné sucrier avant qu'il ne se renverse, voilà tout. »

Il retourna à l'intérieur à la recherche de Doliprane®. Elle le suivit. « Écoutez, Annie, soyez gentille. Laissez-moi tranquille, à présent. Revoyons-nous demain à la fin du cours, si vous voulez. J'aurai une proposition très intéressante à vous faire, au sujet de ces cours particuliers. Du solide. Mais entendons-nous bien, Annie. Je ne peux pas m'engager à faire de vous un écrivain. Personne n'a ce pouvoir. Que l'on soit bien d'accord. Je peux vous apprendre tous les trucs et toutes les ficelles, je peux vous aider à tenir le crayon, à griffonner quelques dessins, mais c'est tout ce que je peux faire. Je ne suis pas magicien, d'accord ? Prenez une recette. Est-ce que disposer de tous les ingrédients suffit ? Bien sûr que non. Il faut la grâce. Votre père pourra m'envoyer ses copains une fois encore. Ça n'y changera rien. La chose dont nous parlons n'est pas monnayable. Si ça l'était, il y a longtemps que j'aurais fait mes économies, Annie. Je ne serais pas là en train d'enseigner la littérature, je serais en train de la faire. Vous devez bien le comprendre. »

Elle le dévisagea une nouvelle fois. « Écoutez. Laissez-moi vous dire une chose. Je ne comprends pas un mot de ce que vous me dites, justement. Je veux simplement savoir pourquoi je vous déplais. Je veux savoir ce qui ne va pas. »

En dehors de quelques étudiants un peu saouls qui s'étreignaient à tour de rôle et ne leur prêtaient aucune

135

attention, ils étaient seuls dans la pièce. « Annie. Bon. Si vous êtes là pour aiguiser mon mal au crâne, dites-le. Dites-le tout de suite. Ça nous fera gagner du temps. Aidez-moi plutôt à chercher de l'aspirine. Vous savez ce qui serait bien ? Ce serait que nous nous serrions la main.

— Allez vous faire foutre.

— C'est bien. Au moins c'est franc. »

Ils ouvrirent quelques placards, quelques tiroirs. « Pourquoi vous m'avez fait ça ? » demanda-t-elle en lui tendant une plaquette d'aspirine dénichée derrière un compotier. Il la remercia d'un léger signe de tête. « On devrait toujours en avoir sous la main », observa-t-il en s'emparant d'une bouteille d'eau. Il avala ses cachets. « Annie, réfléchissez une minute. Vous savez ce que je risque si l'on m'accuse d'avoir une relation avec une élève ? Regardez-les, fit-il en indiquant le côté ombragé du jardin où se tenaient les membres du corps enseignant et leurs conjoints. Qu'est-ce que vous en pensez ? Combien de temps me donneriez-vous avant de voir ma tête rouler dans la sciure ? Sans doute ne serais-je pas jugé avec autant de dégoût qu'un vieux prêtre pédophile, mais ce serait tout juste, croyez-moi. Regardez-les. »

Il baissa la tête. « L'idéal serait que nous sortions séparément. Que nous en restions là pour aujourd'hui. Que nous reparlions de tout ça plus tard, à un moment et à un endroit plus appropriés, vous voulez bien ? Je ne suis vraiment pas en état. Vous seriez formidable.

Je me suis conduit si grossièrement vis-à-vis de vous que je n'ai guère de raisons d'espérer de votre part...

— Embrassez-moi. Prenez-moi dans vos bras et embrassez-moi.

— Annie, Annie, Annie, soupira-t-il. Je crois que vous ne m'avez pas très bien compris.

— Faites-le tout de suite. Vous avez trois secondes. Ensuite, le marché ne tiendra plus. »

Il referma aussitôt ses mains sur les épaules d'Annie Eggbaum — qui n'était sans doute pas d'une grande beauté mais habitait un corps tout à fait désirable — afin de l'empêcher de mettre sa menace à exécution — voire de crier à l'agression sexuelle si l'idée lui traversait la tête, car il avait bien conscience d'avoir affaire à une étudiante déterminée, chose relativement rare, d'autant que la détermination comptait au nombre des qualités indispensables à la carrière d'un écrivain, mais cela dit, il en fallait beaucoup d'autres.

Il grimaça. « Que je vous embrasse comment? Sur la bouche? C'est ce que vous voulez?

— En même temps, serrez-moi dans vos bras.

— Annie, fit-il en la secouant légèrement, réveillez-vous. Nous ne sommes pas la nuit, en pleine campagne. Nous sommes entourés de gens. Ouvrez les yeux. C'est un champ de mines, pour moi. Autant me plonger la tête dans un essaim d'abeilles. Martinelli est là. Le président en personne. À moins d'une vingtaine de mètres. Vous voulez me tuer?

— D'accord. Allons dans une chambre.

— Comment ? Non, je préfère que nous restions ici. Nous allons le faire ici. À Dieu vat !

— Vous allez y arriver ?

— Je vais faire mon possible. »

Il s'y résolut. Mieux valait se couper une main que le bras. Aussitôt, elle lui plongea sa langue dans la bouche. Il en profita pour la saisir à la taille et pivoter avec elle pour ne plus se trouver en vitrine.

Il y avait des corvées plus rudes, des tâches plus rebutantes. Annie se collait à lui comme si elle désirait exécuter un moulage de son corps avec le sien. Elle lui caressait également la nuque avec conviction et lui palpait l'entrejambe. Il fut un temps où il aurait apprécié une telle véhémence, une telle approche — quelqu'un avait mis *Focus Please* de Be My Weapon, ce must, et les cheveux d'Annie sentaient très bon —, mais ce temps-là lui semblait déjà loin, ce temps appartenait à une autre époque. Par chance, il avait pu reculer jusqu'au mur et s'y était adossé in extremis — une seconde de plus et il partait à la renverse avec elle.

Il tâcha de faire preuve du maximum d'entrain durant l'accomplissement de l'exercice, mais le cœur n'y était pas vraiment. Pour donner le change, il lui passa une main sur les fesses, pressa son bas-ventre contre le sien. Ces gestes n'étaient pas compliqués à exécuter et il vit qu'elle y était sensible. Sa migraine ne s'était pas envolée, mais elle n'avait pas empiré, de sorte qu'il se pliait tout de même à la manœuvre d'un cœur égal. Il lui mordilla les lèvres. Un plus.

Au fond, il s'en sortait bien. Il se sentait un peu chahuté, mais s'il se tirait ainsi de cette regrettable rencontre, si c'était là son gage, il s'estimait globalement satisfait. Sans doute l'alerte avait-elle été chaude, mais il l'avait gérée au mieux — réactif au danger et souquant ferme pour ne pas être chaviré — et il allait en recueillir les fruits. C'était une bonne leçon, quoi qu'il en fût. Il ne fallait jamais relâcher son attention. Celui qui relâchait son attention était mort. Et lui davantage qu'un autre, eu égard aux épreuves qu'il avait connues.

Une bouteille roula sur le parquet. La rumeur du dehors leur parvenait à peine — double vitrage asymétrique rempli d'argon. Il vit passer quelques langues de fumée bleue en provenance du barbecue qui empestait à présent tout le voisinage. Dans le fond de la pièce, la petite bande d'étudiants semblait avoir atteint un état d'hébétude avancé, ce qui d'ailleurs arrangeait ses affaires. Pendant ce temps, les aiguilles de l'horloge tournaient et Annie continuait de ferrailler avec une âpre résolution dans sa bouche, sans montrer le moindre signe de fatigue, sans laisser entrevoir que ce baiser aurait une fin.

Lorsqu'il voulut la repousser, elle s'accrocha de plus belle. « Allons, soyez raisonnable, fit-il en cherchant à desserrer l'étau qu'elle refermait autour de son cou. Ne faites pas l'enfant, voulez-vous. Une parole donnée est une parole donnée. Je plaisante avec beaucoup de choses, Annie, mais pas avec ça. Un baiser, c'est ce que vous avez demandé et c'est ce que vous avez eu. C'est ce que nous venons de faire, non, il me semble. »

Ce petit jeu pouvait finir par lui coûter cher — quelqu'un pouvait entrer d'une seconde à l'autre. Il tira plus fermement sur les bras d'Annie qui se raidit davantage encore. « Écoutez, c'est bien simple, comment pourrai-je dès lors vous faire confiance ? Comment vais-je faire, au cas où nous serions amenés à nous fréquenter, si vous me jouez ce genre de tour à la première occasion ? »

Il tira. Elle résista. Elle avait à l'évidence le caractère bien trempé de son père. Il accentua sa pression. Elle grimaça. Il tordit un poignet. Une autre jeune femme qu'il avait connue refusait chaque fois de sortir du lit, catégoriquement, si bien qu'il fallait l'attraper, l'amener au bord du matelas et la faire dégringoler par terre pour qu'elle consentît à se rhabiller. Cela y ressemblait un peu. Ces scènes que les femmes pouvaient faire. Hallucinant. Dommage que leurs issues se révèlent si souvent fatales, songea-t-il en la détachant de son cou qu'elle avait fini par sérieusement endolorir. Dommage qu'elles se terminent si souvent mal.

« Calmez-vous, reprit-il. Nous reparlerons de tout ça demain, Annie. En tout cas, ce baiser, c'était de la dynamite.

— De la dynamite ?

— Oui, exactement. Boum. Nous allons reparler

140

de tout ça. Promis. Mais pas maintenant. Demain. D'accord ? »

Elle le regarda par en dessous.

« Allez-y. Sortez la première, fit-il en la mettant dans la bonne direction. Je vous dis à demain, Annie. Maintenant, sauvez-vous. »

Il la regarda se mettre en route — après qu'il lui eut administré une de ces légères claques sur les fesses si terriblement mal vues en général. Au moment de passer la baie, elle se retourna. « De la dynamite, articula-t-il en levant le pouce. Tout va bien, Annie. »

Il avait eu chaud. Maintenant qu'il la voyait retourner au monde et se fondre parmi l'assemblée, le voile glacé de la frayeur — celui-là même — lui glissa un instant sur les épaules, rétrospectivement. La vérité était qu'il avait frôlé le précipice. Voilà la vérité. Il avait frôlé la mort, voilà la vérité. Il en était essoufflé. Dieu savait dans quel pétrin il nagerait à présent s'il n'avait pas eu les réponses adéquates et instantanées aux problèmes que posait Annie. Dieu savait dans quel terrible vortex il continuerait de tomber sans fin à cette heure, et quelques autres avec lui.

À cette vision, sa migraine se réveilla. Il avala de nouveau deux ou trois comprimés et trouva un lavabo pour se rafraîchir le visage, et aussi la nuque.

Sentir passer le vent du boulet constituait une expérience à la fois riche et violente, proche de l'orgasme, qui pouvait se comparer au saut en parachute, à ce que l'on prétendait. Il s'aspergea encore un instant puis regagna le jardin à son tour, en prenant un air décontracté — sans remarquer le moindre regard insistant sur lui, ni même particulier.

Marianne lui demanda où il était mais elle n'écouta guère la réponse qui semblait ne la préoccuper que très moyennement. En ce début d'après-midi, le soleil brillait d'un immense éclat et les places à l'ombre étaient les plus prisées et donc les plus encombrées, ce qui rendait improbable d'y trouver la paix à laquelle il aspirait — et dont il avait besoin pour se remettre.

Richard Olso habitait un quartier tranquille, arboré, où chaque famille devait être en possession d'une demi-douzaine de véhicules si l'on en jugeait par la quasi-impossibilité de se garer dans les parages en dehors d'un miracle. Se glisser discrètement dehors ne fut rien, se redresser dans la rue. Mais se souvenir de l'endroit où il avait parqué la Fiat le mit à la torture en raison de la terrible lumière qui tombait du ciel — vibrionnante et blanche — et malgré les cinq ou six grammes d'aspirine qu'il avait avalés.

Il quadrilla les alentours du mieux qu'il put, d'une démarche hésitante, sans rencontrer âme qui vive pour lui dire où il se trouvait.

Il erra durant un bon quart d'heure, désorienté par la pression à hauteur de ses tempes — la sourde, la souterraine pulsation du sang —, de même que par l'abondante lumière qui se déversait du ciel et obligeait à cligner des yeux faute d'avoir oublié ses lunettes de soleil dans la boîte à gants.

Son premier soin, justement, fut de les chausser aussitôt qu'il prit place à l'intérieur de son véhicule. Et quel soulagement, dans un premier temps. Quel soulagement de pouvoir baisser la lumière, de pouvoir l'adoucir dans une certaine mesure. Il serra longuement ses mains sur le volant, ferma les yeux, baissa la tête, puis il démarra et s'éloigna péniblement — il se déportait invariablement à gauche, frôlant l'autre file qui klaxonnait, ou passait juste après l'orange, ce qui provoquait la même réaction et lui vrillait les tympans.

Tant et si bien qu'il se mit à saigner du nez. Une femme, à un feu rouge, l'observant avec une grimace de dégoût mêlé d'effroi, lui fit comprendre que quelque chose n'allait pas. Il se jeta un coup d'œil dans le rétroviseur et découvrit le sang qui coulait sur son menton — et roulait sur le devant de sa chemise. On le klaxonna violemment car le feu était passé au vert sur l'avenue et il ne bougeait pas — occupé qu'il était à fébrilement fouiller ses poches dans l'espoir d'y trouver un mouchoir ou n'importe quoi d'équivalent. D'un rouleau de Sopalin opportunément laissé sur le siège arrière, il arracha quelques feuilles et les plaqua contre son nez tandis qu'une sorte d'hystérie collective prenait les conducteurs derrière lui, lancés dans un concert d'avertisseurs.

Il mit son clignotant et coupa — non sans peine, avec précaution, risquant d'être embouti à chacune de ses tentatives d'intrusion, une main ensanglantée couvrant maladroitement son nez — la file de droite afin de se sortir du flot et se consacrer à ce énième souci que le sort lui réservait et qui commandait de garder la tête penchée en arrière, en dehors de toute autre initiative.

Il en attrapa une vraie suée. Saignant du nez, ravagé par la migraine carabinée qui le poursuivait depuis le matin, il parvint cependant à atteindre la bande d'arrêt d'urgence. Il coupa le contact, enclencha son warning. L'endroit n'était pas idéal pour se reposer mais il en acceptait l'inconfort au regard du soulagement qu'il éprouvait d'avoir évité un accident meurtrier sur le périphérique qui longeait le lac.

Il garda la tête en arrière, imbiba de sang quelques feuilles de Sopalin supplémentaires tandis que la circulation grondait comme une rivière souterraine juste à côté de lui. Le ciel bleu de l'après-midi virait au rose par endroits.

Le policier frappa au carreau et lui demanda d'ouvrir en faisant le geste.

Après une seconde d'hésitation, il s'y résolut — en clignant des yeux. Le policier eut un mouvement de recul à la vue de cette figure en mauvais état. « Bon Dieu, que se passe-t-il, monsieur, vous vous êtes battu ? » Il secoua négativement la tête. « Êtes-vous en état de conduire, monsieur ? » Il opina. « Dans ce cas, monsieur, nous allons commencer par évacuer la zone. Vous allez prendre la première sortie. Je vous suis. » Il était en moto. Il était en chemisette. Ce type semblait d'une sévérité absolue.

Lorsqu'il était dans cet état de fébrilité, le plus tôt il regagnait sa chambre ou trouvait un coin sombre, ou quelques couvertures à se rabattre sur la tête, mieux cela valait. Le pire était de rester dehors, occupé à quelque désolante obligation de la vie quotidienne comme celle qui consistait à subir l'interrogatoire d'un officier de police dont le cerveau devait avoir la taille d'une bille si l'on en jugeait par la lueur de son regard méfiant.

« Monsieur, est-ce que vous voulez que je vous conduise à l'hôpital ? » Il secoua la tête. « Vous êtes sûr ? » Tout à fait sûr. Aussi sûr que chaque mot prononcé par le policier était comme une pierre aux angles pointus que l'on cherchait à lui enfoncer dans le crâne.

« Monsieur, êtes-vous sous l'effet d'une drogue ? » Il secoua de nouveau la tête. Il se sentait dans un tel état d'énervement, de rage contenue, qu'il se demandait si le volant n'allait pas lui exploser entre les doigts. Il se souvenait d'un barreau de chaise qu'il avait brisé de ses mains tandis qu'on lui rouait l'échine de coups de ceinture. Il avait toujours possédé une grande force dans les mains — et un entêtement qu'il fallait mater d'une façon ou d'une autre.

« Monsieur, enlevez vos mains du volant et descendez, s'il vous plaît.

— Que je descende ?

— Monsieur, descendez de cette voiture. Je ne vous le répéterai pas.

— Vous n'avez pas besoin de me le répéter. Je ne suis pas sourd. Ne commencez pas à faire du zèle. »

Il avait conscience de ne pas se trouver en état de tenir tête au policier. Son cerveau menaçait d'exploser, le sang battait à ses tempes, cognait à l'arrière de ses yeux, se coagulait dans ses narines. Il s'était connu plus vaillant. Mais l'impulsion l'avait emporté, il n'avait pas réfléchi, n'avait pu retenir son premier réflexe — parfois, la coupe débordait, parfois le citoyen refusait de n'être qu'une lamentable marionnette — et il descendit en se demandant ce que son accès d'humeur allait lui coûter — il avait vu assez de films pour se faire une idée des méthodes utilisées par les forces de l'ordre.

Le policier leur avait fait prendre une voie de service et l'endroit était livré aux débris, aux chardons, à la ferraille rouillée et aux herbes folles.

« Monsieur, êtes-vous armé ?

— Armé ? Non, certainement pas.

— Monsieur, mettez vos mains sur le capot. Penchez-vous. Écartez les jambes. Je dois m'en assurer. Je vais vous fouiller.

— Attendez, je rêve.

— Faites ce que je vous dis.

— Écoutez, j'ai fichtrement mal à la tête.

— Oui, moi aussi j'ai mal à la tête. »

*

Sans doute les chances de la trouver chez elle, à cette heure, étaient-elles minces. À présent, le soir tombait et du couchant se déversait une lumière rasante jaune bouton-d'or — dont l'ardeur aurait requis le port de lunettes, mais elles avaient fini en morceaux. Quelle femme, dans la situation de Myriam, aurait souhaité errer dans un appartement vide et mortifère alors que la soirée commençait à peine? — à moins de vouloir mourir à petit feu.

Quant à lui, la question ne se posait pas. Il n'avait pas envisagé un seul instant de rester seul dans l'état où il se trouvait car il se sentait perdre pied et préférait avoir quelqu'un à ses côtés, en cas d'urgence.

Contre toute attente, la lumière brillait à la fenêtre de Myriam.

Il se traîna jusqu'à l'interphone. Il donna son nom puis tomba assis contre la porte.

Plus tard, au milieu de la nuit, gardant les yeux ouverts dans la pénombre, il avait enfin retrouvé son calme. Elle dormait. Pour sa part, ses mains ne tremblaient plus, son souffle s'était apaisé, son crâne n'était plus sur le point d'exploser. Marianne ne faisait pas mieux, malgré quarante années d'expérience. Il alluma une cigarette. Aucune lueur ne filtrait, aucun bruit ne provenait du dehors. Il espéra que fumer au lit n'était toujours pas perçu comme un péché capital dans cette maison. Il se tourna vers elle et s'approcha pour la sentir — son cou, son épaule, sa hanche, promenant son nez à quelques millimètres au-dessus de sa peau.

Ce n'était pas toujours d'une lecture très facile mais, dans le cas de Myriam, cela se révélait très difficile. Plusieurs textes semblaient enchevêtrés. Plusieurs images se superposaient. Ce qui n'avait rien de désagréable en soi. De mystérieux, sans doute, mais de désagréable non, en rien, au contraire.

Il se demandait s'il n'avait pas perdu connaissance entre le moment où il avait sonné à sa porte et celui-ci. Il ne se rappelait rien. Ahurissant. Le jour succédait aussitôt à la nuit.

Quoi qu'il en soit, la compagnie de cette femme devenait chaque fois plus nécessaire. Il n'y avait pas grand-chose à faire pour lutter contre ça.

Pourquoi ne l'avait-il pas rencontrée vingt ou trente années plus tôt, pour gagner du temps ? À quoi avaient servi toutes ces jeunes femmes, toutes ces étudiantes ? L'ombre de Marianne flotta un instant dans son esprit puis il éteignit sa cigarette.

Il lui semblait sortir de l'adolescence à son tour, depuis qu'il avait couché avec cette femme. Il n'aurait su dire s'ils l'avaient fait ou non durant la nuit, mais son corps semblait rechargé comme une pile et il n'allait pas le regretter au moment où il aurait ce nouvel effort à fournir à travers les bois.

Ainsi avait-il fallu que ce maudit policier fût emporté par une crise cardiaque ou quoi que ce fût d'autre, pratiquement dans ses bras. Ainsi avait-il fallu qu'une telle chose arrive. Ce coup du sort. Si l'on n'appelait pas ça être maudit, comment appelait-on ça? Si ce n'était pas le comble de la déveine, alors c'était quoi?

Se lamenter ne servait à rien. Mieux valait garder son énergie pour alimenter des actions qui en valaient la peine. Force était d'accepter la donne, selon lui. Un problème inattendu lui était tombé sur les bras et il allait devoir le régler. Il fallait accepter les cartes que l'on tirait, sous peine de se voir éjecté du jeu. Il connaissait les règles.

Il se leva aux premières lueurs de l'aube, se rhabilla en regardant Myriam qui dormait sur le ventre, uniquement vêtue de son soutien-gorge. Dehors, la température était fraîche, une légère nappe de brume translucide flottait au-dessus du lac dont les eaux commençaient à passer du plomb à l'argent. Il frissonna, bâilla, puis s'installa au volant de la Fiat couverte de rosée qu'il démarra et manœuvra en marche arrière jusqu'à la chaussée en contrebas tout en gardant un œil sur les plates-bandes dont la copropriété s'estimait fière, à juste raison.

Il était à peine six heures du matin, les rues étaient désertes, il réemprunta, ironiquement, le périphérique dont le policier l'avait sorti une douzaine d'heures plus tôt, puis s'éloigna vers les collines qui émergeaient tout juste de l'ombre.

Il inspecta méthodiquement les alentours avant de sortir. Si les événements s'emballaient un peu, si le décor chancelait, il fallait redoubler d'attention, se montrer encore plus rigoureux pour maintenir l'équilibre. Lorsqu'il se fut assuré que la voie était libre, il mit un pied dehors et leva la tête en direction du chemin qu'il allait devoir parcourir avec le corps du policier sur les épaules. Il soupira. Ce type devait peser dans les quatre-vingts kilos.

Le tirer simplement du siège arrière coûta d'emblée quelques sérieux efforts — sans compter l'angoisse d'être surpris en pleine besogne qui hystérisait le moindre geste.

Et quand il le chargea sur son dos et fut prêt à partir, à se lancer dans la montée, il était déjà en sueur — et même couvert de sang pour faire bonne mesure, absolument barbouillé, lui que la moindre tache faisait bondir, lui qui repassait ses pantalons.

Difficile de ne pas se salir les mains dans cette vie, songea-t-il en s'avançant dans le sous-bois ployant sous son fardeau — les motards n'étant pas des fillettes.

Une chance qu'il fût relativement en forme, eu égard au nombre de cigarettes qu'il grillait impunément tout au long de la journée. Le bruit courait que sa mère n'avait pas cessé de fumer un seul instant durant ses grossesses et qu'ainsi Marianne et lui avaient ce vice enfoui dans leurs gènes. Il revoyait leur père quitter la table sans un mot, au beau milieu du repas, parce que la fumée l'incommodait — tandis qu'elle attendait une réaction de sa part, que tout le monde attendait une réaction de sa part, mais rien ne venait, on entendait la porte se refermer et la vaisselle commencer à voler.

150

Au petit matin, au chant du coq, après trois bons quarts d'heure d'efforts ininterrompus, il se hissa, après avoir fourni l'un des plus terribles efforts de sa vie et comme le soleil poignait au fond de la vallée, sur la dernière partie du chemin qui conduisait à la grotte — dont l'ouverture béait en retrait d'un promontoire humide et glissant. Bon. Il demeura un instant essoufflé, livide, frémissant. Puis aux premiers rayons de soleil, il entendit un grillon.

Mais Dieu savait la somme des ennuis qu'il s'épargnait en agissant ainsi. L'épreuve qu'il venait de subir n'était rien au regard d'éventuels démêlés avec une police tatillonne et trop souvent prompte à donner dans l'erreur judiciaire. Il s'épongea le front avec un mouchoir déjà humide. Une belle matinée s'annonçait. Il était satisfait d'avoir pu régler cette affaire aussi vite — et sans heurts —, car il sentait bien que d'autres sujets n'allaient pas manquer de requérir, très rapidement, sa plus extrême attention. Ce policier surgi du néant. Pour commencer, on ne faisait pas ce métier si on avait le cœur fragile. À moins d'être sérieusement fou.

Il poussa la dépouille du policier jusqu'à l'extrême bord de la faille et ensuite la catapulta dans le vide en utilisant ses deux pieds comme des ressorts. Puis il rampa vers le gouffre afin de s'assurer que tout était en ordre, que rien n'était visible, que les ténèbres avaient tout effacé. Mais tout était parfait. Cette fois, évitant l'obstacle qu'avait rencontré celui de Barbara, le corps de l'officier avait plongé proprement, directement.

Au moins cette page était-elle tournée. Il soupira en roulant sur le dos. La présence de ce gouffre était un véritable atout. Le ciel bleuissait, les corbeaux filaient, le traversaient, tournoyaient. Le gouffre constituait un atout majeur. Certes, ses ténèbres émettaient leur lot d'énergies négatives et cela ne donnait pas envie de venir camper dans les parages, mais il remerciait le Ciel d'avoir placé ce terrible abîme sur son chemin — même s'il avait failli s'y trouver englouti lui-même. Le gouffre était un solide allié. Il s'y était caché durant trois jours et trois nuits, autrefois, sans bouger, se préparant déjà à trembler de tous ses membres dès que la nuit viendrait, claquant des dents par avance, gémissant par anticipation comme n'importe quel enfant de son âge... or, contre toute attente, en complète contradiction avec ses sombres pronostics, il s'y était senti protégé, en sécurité, apaisé, malgré ce silence caverneux et cette noirceur sans fond qui semblaient siffler autour de lui, et n'eussent été la soif et la faim qui l'avaient tiraillé, le froid qui l'avait mordu, les représailles qui l'attendaient d'une façon ou d'une autre lorsque l'on remettrait la main sur lui, il s'était estimé relativement comblé par son séjour dans son intimité minérale et moussue. La créature qui hantait ce lieu paraissait l'avoir à la bonne. Elle avait aussi la faculté d'éteindre la lumière et de refermer la porte. De pousser le verrou.

Il ferma les yeux et faillit s'endormir sur la pierre froide. Le problème venait du fait que lorsqu'il pensait à Myriam, à présent, son cœur battait plus fort, sa respiration s'accélérait. Difficile de l'ignorer. D'autant qu'il s'agissait d'un sentiment inconnu, si nouveau. Personne ne l'avait préparé à ça — le plus drôle était qu'il en avait forcément écrit des tonnes sur ce sentiment, aucune histoire ne pouvait fonctionner si on ne le traitait pas ou ne l'intégrait pas d'une manière ou d'une autre, et donc l'ironie venait du fait qu'il avait noirci des milliers de pages sur une chose dont il ne connaissait rien. Hallucinant. Bon nombre de ses personnages étaient tombés amoureux, mais lui, que savait-il au juste sur le sujet? Savait-il de quoi il parlait? Il avait la réponse à ces questions, aujourd'hui.

Quoi qu'il en soit, le système qu'ils avaient mis en place, Marianne et lui, et qui leur avait permis de traverser ces quatre dernières décennies sans trop de casse, vaillamment, ce système allait voler en éclats. Il se redressa sur ses coudes et observa la pointe de ses souliers tachés de sang.

Mieux valait sans doute qu'il ne rencontrât personne dans l'état de saleté sanguinolente où il se trouvait. Certes, il aurait pu invoquer quelque intempestive hémorragie nasale, mais il avait plutôt l'air d'un équarrisseur illuminé à l'heure de la pause que d'un brave homme victime d'épistaxis, fût-elle sévère.

Il convenait donc de redescendre avec prudence, d'ouvrir l'œil en sorte qu'aucun nouvel incident ne se produise sur le chemin du retour. Il n'appréciait que très moyennement cette sensation de vulnérabilité qu'on éprouvait en perdant la maîtrise de la situation, d'évoluer à découvert, et il avait été servi, ces derniers jours. Non qu'il refusât l'imprévu, le charme de la nouveauté, l'enseignement, les aléas, les épiphanies, mais ne fallait-il pas reprendre des forces entre chaque exercice, et non les enchaîner, encore moins les mener de front?

Il se frictionna avec des feuilles mortes, noires, humides, en une toilette grossière destinée à donner le change en cas de rencontre malheureuse, ou encore à éviter d'être abattu sur place par un débile mental. Il était encore assez tôt. Sans doute avait-il davantage de chances de croiser une biche dans les parages qu'un ahuri quelconque, mais il avança courbé, silencieux, courant à moitié, profitant de la déclivité du terrain.

Il chuta trois fois. La troisième fois, il entendit son coccyx faire un petit bruit et un éclair glacé le traversa de part en part. Mais il se releva néanmoins — avec surprise, car la chance n'était pas au rendez-vous ces temps-ci et cette troisième chute aurait plutôt dû être une mauvaise chute qui l'aurait paralysé, empêché de rejoindre sa voiture et laissé croupir dans les bois, le visage baigné de larmes, poussant des hurlements de rage que personne n'aurait entendus. Il ne ressentit qu'une vague douleur lorsqu'il se remit en marche, qui d'ailleurs s'estompa rapidement.

Reprenant place au volant de la Fiat, il poussa un

cri en pensant s'être assis sur une terrible aiguille et fit un tel bond que son crâne cogna le plafond.

Il passa la main, mais il n'y avait rien. Plus rien de la douleur, non plus, qui avait instantanément disparu — au point de laisser planer un doute sur son authenticité. Fermement empoigné au volant, les mâchoires serrées, il entreprit délicatement de se rasseoir sur le siège — très inquiet des revers que le sort pouvait tenir en réserve.

À moitié rassuré, ayant enfin repris sa place, il effectua quelques mouvements de rotation du bassin, se cambra, se pencha en avant, toussa, mais sans résultat. Difficile de savoir à quoi se fier, si l'on ne rêvait pas du matin au soir — il régnait une grande incrédulité entre le corps et soi-même, la plupart du temps, mais personne ne souhaitait en parler, personne ne voulait risquer d'être démasqué.

« Pourquoi ai-je toujours pensé que nous étions les vagues de l'océan ? » se demande Frederick Seidel dans un poème récent — le grand Frederick Seidel. Il regarda sa montre. Il avait demandé à ses élèves de développer quelques pistes de réflexion à partir de là et il avait un peu moins d'une heure avant de se présenter devant eux — le corps propre, changé, l'esprit clair, le teint frais. Il accéléra — profita d'être seul pour exécuter quelques talons-pointes parfaitement ringards, que la 500 n'appréciait guère à 150 000 au compteur.

Marianne était encore là, comme il s'en doutait un

peu. Il dépassa la maison puis revint sur ses pas au bout d'une minute, en coupant le contact. Il entra par-derrière. Dans le miroir de l'entrée, il découvrit à quel point il était effrayant — il émit une faible plainte —, tout ce sang sur ses vêtements, sa figure. Il entendit sa sœur dans la cuisine, qui parlait avec la machine à café. « Est-ce que tu pourrais me le faire plus serré, cette fois? Est-ce que je n'ai pas appuyé sur la bonne touche? Oh, s'il te plaît! »

Il en profita pour se glisser à l'étage sur la pointe des pieds. S'il se passait de petit déjeuner, il pouvait prendre un bain. Il hésita une seconde puis ouvrit les robinets de la baignoire. Pour ce qui était de la propreté, il avait été à bonne école. Très bonne école.

Il se déshabilla. Tous ses vêtements poissaient, puaient. Il s'examina dans le miroir tandis que l'eau glougloutait et embuait la salle de bains. Le sang sur son visage dessinait des rigoles. Personne n'aurait aimé se montrer dans un tel état, mais ce fut ainsi que Marianne le découvrit, comme il s'apprêtait à enjamber la baignoire, avec ce masque rutilant sur la figure et ces mains de boucher.

Tout ce qu'il avait cherché à éviter, bien sûr. Car, bien entendu, elle ouvrit des yeux ronds, horrifiés, puis se plaqua une main sur la bouche. Bien entendu. Il fallait s'y attendre. Et elle ne bougeait pas.

« Tu ne vois pas que je suis à poil? » marmonna-t-il.

156

Il n'était pas utile d'en parler. En parler ne servait à rien. Elle n'aimait pas ça et lui non plus n'aimait pas ça, assurément, mais l'on n'y pouvait rien. On n'allait pas reparler de ça. Non. « Nous en parlerons ce soir, mais pas maintenant, si tu veux bien. Laisse-moi prendre mon bain, d'accord ? Ne me fais pas arriver en retard. Tu sais qu'ils m'ont à l'œil. Ils ne vont plus rien me laisser passer. »

Il avait saisi une serviette et s'était essuyé le visage à la hâte — la vapeur qui régnait, la moiteur des lieux concourant à un résultat acceptable, à une figure à peu près convenable, presque normale. Maintenant, avec la même serviette, il se cachait le sexe.

Quand elle en eut assez, elle tourna les talons et regagna son appartement du rez-de-chaussée d'un pas vif.

D'ici le soir, il aurait trouvé une manière de lui présenter les choses qui les satisferait l'un et l'autre. Il entendit sa voiture démarrer tandis qu'il se glissait dans la baignoire et allumait une cigarette. Il grimaça de nouveau lorsque son coccyx toucha le fond.

Tout cela faisait peur, bien sûr. De tels bouleversements faisaient peur. Il s'habilla de blanc et s'en alla donner son cours en songeant déjà, anticipant de prochaines souffrances, à se rendre acquéreur d'un petit coussin gonflable en forme de bouée.

À midi, comme il rangeait ses affaires, ravi d'avoir déstabilisé la moitié de sa classe en affirmant que la littérature n'était pas faite pour décrire la réalité — l'autre moitié était trop affamée pour émettre un avis autorisé sur la question —, elle arriva droit sur lui, court vêtue. Au moins, s'il reconnaissait une qualité à Annie Eggbaum, c'était son opiniâtreté.

« De la dynamite, Annie ? J'ai parlé de dynamite ? Franchement, ça m'étonnerait. Ce n'est pas mon vocabulaire. Mais enfin, bref. Ça n'a pas d'importance. Ne vous asseyez pas sur mon bureau, Annie, soyez gentille. C'est une manie, chez vous, n'est-ce pas ?

— Vous m'avez embrassée.

— C'est possible. Bien sûr. Les gens font ça souvent. Regardez. Le printemps est là. Les gens s'embrassent du matin au soir. De mon temps, on appelait ça flirter. Je ne sais pas comment vous dites, aujourd'hui. Peu importe. Nous avons flirté, vous et moi. Bien entendu. Quelque chose ne va pas ? »

Il la fixa un instant tout en rangeant quelques dossiers à l'intérieur de sa serviette. En temps normal, elle aurait été la suivante après Barbara, cela ne faisait aucun doute. Elle n'était pas belle, mais elle avait un air effronté parfaitement excitant.

« Au contraire, tout va bien, répondit-elle.

— Tant mieux. Le cours vous a plu ?

— Je n'en sais rien. Je n'ai pas écouté. »

Il lui accorda un sourire et sortit.

« Je n'écoutais pas parce que j'étais fascinée par vous, Marc. J'étais fascinée par vous.

— Marc ? Vous m'appelez par mon prénom, maintenant ?

— Il faut vous appeler autrement ? »

Il marchait d'un pas rapide. Elle suivait. Il s'arrêta. Il lui toucha le bras. « Écoutez, Annie. Je vais vous parler franchement. Ça n'a rien à voir avec vous. Tout va bien de votre côté. Si c'est ce qui vous tourmente, rassurez-vous. Non, c'est votre père. Le problème vient de lui. Vous comprenez, il me met très mal à l'aise. Ses méthodes me mettent très mal à l'aise.

— Très bien, je vais arranger ça.

— Écoutez, Annie, j'aimerais vous dire que ça me rassure. Je suis désolé. »

Elle semblait avoir du mal à accepter que l'on n'éprouvât pas suffisamment d'attirance pour elle, sa lèvre frémissait — mais aurait-elle compris qu'une autre femme l'accaparait alors tout entier, asséchait désormais en lui, jusqu'à nouvel ordre, toute autre source de désir? — et à l'instant même où il se mettait à craindre qu'elle ne fît un esclandre sous prétexte qu'il ne faisait pas les efforts qu'elle attendait, cependant qu'il jetait un coup d'œil machinal par-dessus l'épaule de sa pressante interlocutrice, il avisa l'inspecteur à l'autre bout du hall.

Il s'efforça aussitôt de prendre un air plus détendu. « Laissez-moi attraper mon agenda, déclara-t-il, et donnez-moi vos disponibilités. Est-ce que le mercredi vous irait? Je peux me débrouiller pour avoir une salle. Hein, qu'en dites-vous? » Durant une fraction de seconde, il avait croisé le regard de l'inspecteur.

« Vous acceptez de me donner des cours? fit-elle en lui décochant un œil soupçonneux. C'est bien ça?

— Oui, ça m'en a tout l'air, dites donc, lui répondit-il en affichant un large sourire. Reculez-vous un peu. Voilà. »

S'il devait y avoir une véritable discussion entre eux, une saine explication, elle n'aurait lieu ni ici ni maintenant. Il convenait d'éviter de se donner en spectacle devant les représentants de l'autorité, de donner une mauvaise image aux représentants de la loi.

Il se gratta la tête. « Est-ce que ça vous paraît cher, deux cents euros ?

— Pour le mois ?

— Non, pour le cours. »

Il se débarrassa d'elle en invoquant Marianne qu'il devait soi-disant rejoindre. Ce qu'il finit d'ailleurs par faire, estimant qu'un contact intermédiaire atténuerait la confrontation du soir qui promettait d'être éprouvante. Il pensait qu'ils ne seraient pas couchés avant l'aube. Qu'ils seraient sans doute passablement ivres.

Les bureaux de Marianne donnaient sur le campus. Il lui adressa un signe amical de la main. Salut. Elle se figea. Il n'y avait donc guère de progrès depuis le matin, apparemment, sinon qu'elle ne se couvrait plus la bouche. Il fit le geste de prendre son portable. Il actionna le sien. « Veux-tu sortir et prendre un café avec moi ? Ça me ferait plaisir. »

Elle ouvrit la bouche, mais il n'entendit que son souffle, incroyablement proche, amplifié par l'appareil.

« Ça va, tout va bien..., reprit-il. Tout va bien. Ressaisis-toi. Ou une glace. Veux-tu que je t'emmène manger une glace? Par ce beau temps. Qu'en dis-tu? Pourrais-tu arrêter de me regarder en faisant la grimace? J'apprécierais, tu sais. N'oublie pas que je suis ton frère.

— Non. Pas de glace. Merci.

— Tu as raison. Ça fait grossir. Nous pouvons aller nous allonger dans l'herbe. Calme-toi. Tout va bien.

— Tout va bien? Tu oses me dire ça? Va te faire foutre. »

Elle coupa. Sans le quitter des yeux, elle referma son appareil et le fourra dans sa poche. Elle n'employait guère, d'ordinaire, un langage si grossier. Cela constituait un excellent thermomètre de son humeur. Elle rappela. « Va te faire foutre », répéta-t-elle et elle raccrocha. La répétition indiquait un niveau proche de l'incandescence. À coup sûr, elle faisait allusion à des serments, des promesses, etc., mais pouvait-elle lui reprocher de ne pas les avoir tenus en toute bonne foi, pouvait-elle mettre en doute sa sincérité d'alors?

Elle manœuvra les lamelles du store pour ne plus le voir, mais il ne s'attarda pas de toute façon et se dirigea vers le parking en estimant que l'entrevue avait été fructueuse. Les premiers mots avaient été échangés. Peu importait ce qu'ils exprimaient. Ce qu'ils exprimaient était secondaire.

Il retrouva Myriam chez elle, au milieu de l'après-midi. Ils se déshabillèrent et, plus tard, comme ils fumaient une cigarette, il lui donna quelques indications sur la situation, sur ce qu'ils avaient vécu,

Marianne et lui, il se livra un peu. Elle écouta en lui caressant la tête. L'après-midi touchait à sa fin. « Ce qui fait que nous sommes très liés, ma sœur et moi.

— Je n'ai pas de mal à l'imaginer. Je le conçois très bien.

— Alors, oui, parfois, cela peut devenir pesant, je vous l'accorde. Mais je n'oublie pas qu'elle m'a sauvé la vie. Je ne vous ai pas raconté ? Figurez-vous qu'un jour, j'ai failli tomber dans une crevasse, quelque part dans cette forêt, et je ne serais pas là pour vous le raconter si Marianne ne m'avait pas attrapé la main et ne m'avait pas remonté. C'est dire à quel point nous sommes liés. »

Avec le temps, il était devenu très fort en matière de ronds de fumée. Il pouvait à volonté les envoyer au plafond ou les faire flotter sur place comme de maigres et fébriles donuts parcourus de courants circulaires. Il s'y consacra un court instant, l'esprit vagabond. Il anticipa la discussion qu'il allait avoir avec sa sœur. Il éprouvait une sainte horreur à parler de ces choses — dont il ne savait pratiquement rien, à dire vrai —, à les aborder, à tenter de les sortir de l'ombre épaisse, mais il savait qu'il ne pouvait y échapper.

Il regarda Myriam et jugea finalement qu'il avait toujours éprouvé pour les rousses à la peau laiteuse un penchant déraisonnable. Il éteignit sa cigarette en baissant les yeux. Sa sœur n'avait pas fini de se couvrir la bouche — peut-être même de se mordre la main — s'il continuait de l'accabler, de lui fournir de profonds sujets d'amertume et de ressentiment — tels qu'il les multipliait ces derniers temps. Il y avait ainsi peu de chances qu'elle accueillît d'une humeur égale, d'un œil bienveillant, la nouvelle de la relation qu'il avait avec Myriam — et qui prenait de l'ampleur.

Allait-il devoir envisager qu'elle se rapproche de Richard Olso, l'homme qu'il détestait le plus au monde, l'homme qui avait le don de s'enticher des mauvais livres et des mauvais auteurs avec une étonnante régularité — contribuant ainsi à la propagation d'une littérature sans intérêt, sans ambition, sans relief, sans surprise ?

*

Le premier cours qu'il donna à Annie Eggbaum — vendu au prix fort lorsqu'elle avait insisté pour qu'il se déplace à domicile — se déroula au bord de sa piscine en fin d'après-midi, tandis que le soleil scintillait silencieusement sur les sommets des Alpes lointaines et qu'il faisait encore très bon. L'été semblait être venu d'un coup.

Annie Eggbaum était en maillot de bain. Un simple bikini. Elle avait préparé des cocktails de fruits. Servis dans de grands verres. Agrémentés de grosses pailles fantaisie. Elle avait posé trois cents euros sur la table.

« C'est bien trois cents euros ? Pour une heure ? En liquide ? » avait-elle demandé d'un air ingénu. Il avait opiné et empoché l'argent qu'il avait tranquillement glissé dans son portefeuille. Le moindre garde du corps coûtait dix fois plus, le moindre footballeur pouvait s'acheter la moitié de la ville, le moindre banquier pouvait jeter des familles entières dans la rue. Trois cents euros ne représentaient pas grand-chose en comparaison de certaines sommes placées entre certaines mains dans chaque ville, dans chaque pays, sur chaque continent. Trois cents euros étaient la larme dans l'œil du crocodile qui orne les chemises Lacoste, une poussière microscopique aux confins du monde.

« Pourquoi vous êtes-vous inscrite à mon cours, Annie? » Elle ne répondit pas. Il n'attachait pas lui-même beaucoup d'importance aux explications qu'elle pourrait fournir sur le sujet. Il tenait son verre d'une main et de l'autre une cigarette. Il fixait l'eau de la piscine et songeait qu'il faisait un temps idéal pour une baignade.

« Allez-y. Laissez-vous tenter, dit-elle. Je vais vous trouver un maillot. »

Le piège était si grossier qu'il ricana. S'était-il attendu à autre chose, au fond? Cette fille était complètement folle. Assez folle, en tout cas, pour qu'on évitât de la braquer sans avoir de bonnes raisons. Il déclina le bain cependant et proposa de revoir avec elle le dernier travail qu'elle avait rendu. Qui était passablement mauvais.

« Vous voyez cette fenêtre? » Elle indiquait en vérité une porte-fenêtre, au second étage, qui s'ouvrait sur un balcon fleuri. « C'est ma chambre. »

Il soupira en silence. Tant d'autres pensées lui traversaient l'esprit cependant qu'elle tendait la main vers lui, la poitrine en avant. Ce n'était pas la compagnie d'Annie Eggbaum qu'il souhaitait partager à cet instant.

Il ignora son invite. « Dites-moi, Annie, fit-il en tirant quelques feuillets de sa serviette, on ne vous a jamais dit que le point-virgule était mort ? »

Sans lui laisser le temps de réagir, il posa une main sur son cœur et lui demanda d'en faire autant. « Vous sentez ? Ça vous dit quelque chose ? Écoutez, Annie, je crois que nous allons devoir parler du rythme. Je crois que vous allez devoir ouvrir vos oreilles. »

Le but était de la tenir à distance. Or, lorsque l'on avait affaire à une femme réellement décidée, la partie était loin d'être gagnée d'avance. Il avait donc choisi de ne pas s'asseoir et restait de l'autre côté de la table quand il devait s'approcher pour voir ce qu'elle avait écrit et les corrections qu'il avait effectuées dans la marge.

Contrairement à son amie Barbara, elle n'était pas douée, si bien qu'il réussit à la tenir tranquille durant la première demi-heure en la confrontant à ses faiblesses, aux efforts que lui demandait de donner le bon rythme à une phrase, la bonne impulsion, etc. — sans avoir l'air d'un haltérophile en plein ouvrage, si possible.

Le jour baissait. La maison était silencieuse. Il s'agissait d'une grande villa, de style moderne, aux larges baies. Soudain, il entendit le bruit d'un plongeon. Il leva les yeux alors qu'il évoquait la souplesse et la dureté du serpent pour donner à son étudiante une idée un peu plus précise du minimum qu'on attendait de quiconque prétendait se faire publier, avoir au moins en tête l'image du serpent. La souplesse et la dureté.

Elle réapparut. « Venez ! » lui lança-t-elle, toute dégoulinante.

Il préféra prendre place sur une chaise longue.

« Il n'y a que vous et moi, dans cette maison », précisa-t-elle en abordant à la hauteur de son transat, à la manière d'une sirène.

Il l'avait presque deviné. Il n'y avait pas si longtemps, il aurait aisément accédé aux désirs de cette fille et l'affaire aurait été réglée. Mais la situation n'était plus la même aujourd'hui. Des monts s'étaient effondrés, des pics s'étaient installés dans les vallées.

« Vous croyez que ça se raisonne ? reprit-elle d'une voix blanche. Vous croyez que je ne sais pas tout ce que vous aimeriez me dire ? Toutes ces conneries.

— Quelles conneries ? Je n'ai rien dit. Pas de mauvais procès, s'il vous plaît. Annie. Tout le monde sait que ce genre de chose arrive, Annie. Ça va vous passer. Regardez-moi. J'ai cinquante-trois ans. Vous méritez mieux que ça. J'ai connu une fille qui à votre âge se croyait amoureuse de Jankélévitch. Elle ne loupait pas un seul cours mais n'écoutait pas un traître mot de ce qu'il disait. »

Elle frappa la surface de l'eau, projetant les éclaboussures dans sa direction, sans l'atteindre. Il alluma une cigarette — il imagina la tristesse d'une vie sans tabac. Les lumières de la ville brillaient en contrebas mais les alentours demeuraient silencieux, à peine troublés de grésillements d'insectes, de cris d'oiseaux traversant le crépuscule.

Il aspira quelques bouffées. « Il ne vous est pas venu à l'idée que je pouvais avoir quelqu'un ? l'interrogea-t-il. Ça ne vous a pas effleuré l'esprit ?

— Je ne suis pas jalouse. Vous parlez de cette femme ?

— Je ne sais pas. Par exemple.

— Pas toute jeune.

— Exactement. »

Elle lui trouva un maillot de style Ralph Lauren, spécialement réservé aux visiteurs imprévoyants, et il se félicita d'avoir fléchi car presque aussitôt la migraine qui s'annonçait recula — le traitement de l'eau à l'oxygène actif n'était sans doute pas à la portée de toutes les bourses, mais ô combien était-ce appréciable, ô combien aurait-on aimé chaudement recommander ce système, ô combien faisait-il une peau douce.

« Elle est davantage de ma génération. Vous le voyez bien. Je peux développer certains sentiments à son endroit que je ne peux avoir pour vous, Annie, vous devriez le comprendre. Le mental joue un rôle bien plus important à partir d'un certain moment. Je suis peut-être à un tournant de ma vie, vous savez. Je sais que ce n'est pas très cool pour vous, j'en ai tout à fait conscience, mais imaginez que vous soyez à la croisée des chemins, mettez-vous une seconde à ma place. » Ils étaient l'un et l'autre accoudés au rebord, le corps immergé, flottant entre deux eaux, et ils s'observèrent un instant, entre clapotis silencieux et ululement venu des bois, le cheveu humide, les traits immobiles. Puis elle détendit sa jambe comme un ressort et fit mine de le repousser ou de lui envoyer un coup pour le châtier, mais très mollement, sans guère de véhémence. Avec une grimace, une mine renfrognée. Puis elle recommença. Sans réellement l'atteindre. On aurait dit qu'elle voulait avoir une sorte de séance de lutte avec lui, au moins se frotter rudement à lui.

Qu'elle fût désappointée allait sans dire. Le mot était inscrit sur son front. Mais elle se montra plus raisonnable qu'il ne s'y attendait et elle se tint tranquille pour finir, elle cessa de lever le poing contre lui.

Il y avait des peignoirs moelleux, soigneusement pliés, blancs. Dès qu'il en eut passé un, il se hâta vers ses cigarettes — la première bouffée tirée au crépuscule pouvant atteindre des sommets pour l'amateur un peu sérieux. Il reprit son cocktail dans une main et envoya un geste amical en direction d'Annie qui flottait près du bord. Tout cela devenait fort agréable, tout cela détendait. L'air commençait à sentir les bois mûrs et le lac, le ciel fonçait. Annie se révélait soudain sous un jour bien moins terrible. Si elle le souhaitait et travaillait un minimum, il pouvait l'amener au niveau de la production moyenne d'aujourd'hui — jusqu'à signer de bons contrats avec les éditeurs, et même jusqu'à décrocher quelques prix et des traductions transcontinentales. Les règles n'étaient pas très difficiles à suivre — de très mauvais, plus agiles que des singes, ne parvenaient-ils pas à grimper sur les plus hautes marches? Elle ne serait pas la pire s'il lui donnait à lire les bons auteurs, s'il lui faisait noircir du papier et lui enseignait l'art de la provocation.

« L'Afghanistan va devenir un nouveau Vietnam, tout le monde en est persuadé. Quoi qu'il en soit, elle est sans nouvelles de lui depuis des mois. Oui. Personnellement, je crois qu'il n'est pas près de revenir. Nos pertes en hommes sont sans doute plus importantes que l'on veut bien nous le dire. Glacé la nuit, brûlant dans la journée. Ce sacré pays est une souricière. Je serais étonné qu'il réapparaisse, je vous le dis franchement. »

Elle grimaça, puis exécuta quelques longeurs dans l'air du soir.

Il l'aida ensuite à sortir en lui tendant volontiers la main et la hissant, semblant ravi de sa pêche, il fit un mouvement qui déclencha dans la région de sa dernière vertèbre une si violente douleur qu'il en resta un instant stupéfait. Il se figea sous le clair de lune, aux abois. Des larmes lui montèrent aux yeux. Il les cligna et se rabattit en catastrophe sur le matelas le plus proche, comme frappé par une crise de tétanie aiguë, légèrement terrorisé.

Il lui expliqua dans un souffle qu'il avait le coccyx en miettes et comptait se reposer quelques minutes avant de tenter quoi que ce soit, ne fût-ce que battre un cil. « Il n'y a rien à faire, malheureusement, à moins que vous n'ayez quelque chose de très fort », soupira-t-il, le cœur encore battant. Elle revint aussitôt avec des cachets roses qu'il avala sans broncher car la mort elle-même n'était rien comparée à l'insupportable éclair qui l'avait frappé un instant plus tôt.

Il songea au chemin qui le séparait de sa voiture et qu'il ne pourrait jamais effectuer sans béquilles si le sort s'acharnait. Cela lui rappelait de très mauvais moments — une chute sur le carrelage de la cuisine, par exemple, après qu'elle l'eut renversé de sa chaise en lui envoyant son pied en pleine poitrine parce qu'il prenait la défense de sa sœur, très mauvais souvenir d'une époque où la folie était à son comble à la maison, où une extrême brutalité régnait, où rester à terre était souvent la meilleure solution qui s'offrait.

La piscine s'éclaira automatiquement. Ses reins étaient si contractés, de peur d'avoir à subir de nouveau cette sorte de décharge électrique, qu'il ne parvenait plus à les relâcher. Ils formaient un nœud, un bloc douloureux qui ne tolérait que l'immobilité totale, pas de crème, pas de massage, rien, il ne voulait rien sinon qu'on le laissât tranquille un instant afin qu'il pût reprendre son souffle, sinon qu'on ne le fît pas bouger.

C'est à peine s'il parvint à s'asseoir à l'arrivée

de Christian Eggbaum, le père — l'homme qui lui avait fait administrer une aimable correction par ses sbires —, tant ses articulations étaient raides, tant ses nerfs s'étaient mis en pelote Il s'excusa, rajusta maladroitement le peignoir sur ses cuisses. Il déclara qu'il venait d'être subitement frappé de paralysie musculaire fulgurante dans la région lombaire. « Je sais qui vous êtes, répondit son hôte. Vous êtes le professeur de ma fille. » Disant cela, il s'avança en souriant et tendit largement la main.

Et plus tard, le père et la fille l'aidèrent à regagner la Fiat — il refusait d'être raccompagné, prétextant que jamais il ne l'avait accepté, que jamais cette route, etc. — en le soutenant d'un côté et de l'autre, l'encourageant à chaque pas comme s'il était un membre de la famille dont il convenait de se soucier. L'homme n'avait pas l'allure d'un vulgaire maffieux, ni celle d'un braqueur de banque aguerri aux empoignades dans les clubs, mais bien celle d'un escroc financier d'aujourd'hui, sensible à la coupe de ses chemises, attentif au choix de son parfum — en l'occurrence Five O'Clock au Gingembre de Serge Lutens.

De drôles de personnes. Les cachets d'Annie commencèrent à produire leur effet durant le chemin du retour, à présent que ces deux bonnes âmes l'avaient installé en douceur sur le coussin-bouée qu'il avait acquis quelques jours plus tôt et à présent qu'il sortait de la ville et remontait vers chez lui, alors que les étoiles se réveillaient dans le ciel noir surplombant la forêt, qu'il était seul sur la route au volant de sa voiture.

Il n'était pas en état de conduire. Il fallait vraiment qu'il connût ce trajet sur le bout des doigts pour ne pas verser dans le fossé ou enfoncer le parapet et dévaler jusqu'en bas des monts en d'épouvantables tonneaux. La chaussée ondulait mais il conservait son tracé réel en mémoire et plus ou moins corrigeait, plus ou moins parvenait ainsi à poursuivre son chemin sans trop d'encombre. À condition de ne croiser personne en sens inverse.

La position assise, les reins bien calés, le coccyx dans le vide — ces hideux petits coussins-bouées tenaient tout simplement du miracle —, semblait néanmoins donner de bons résultats. Il se redressa légèrement — mouvement qu'il aurait été incapable de réaliser quelques minutes plus tôt, lorsque les Eggbaum l'avaient installé à bord et prié de revenir dès qu'il serait remis sur pied.

Il klaxonna cependant, une fois arrivé, car il ne voulait pas commettre d'imprudence, risquer d'être foudroyé si près du but par un excès de confiance en soi. Il avait besoin de Marianne pour l'aider à s'extirper de la boîte de conserve qui lui servait de voiture et semblait avoir été conçue pour des nains. Il klaxonna de nouveau, sans succès. Puis il se pencha légèrement en avant et découvrit l'Alfa de Richard Olso garée sur le bas-côté.

Il baissa son carreau et entendit des vociférations

plus ou moins humaines, en provenance de la maison. Comme une foule qu'on égorgeait. Des aboiements de chiens ? Des sirènes. Des hélicoptères. Des tirs. Un concert assourdissant. Cependant, les alentours étaient calmes, un délicat panache de fumée blanc s'échappait de la cheminée puis s'évanouissait dans le firmament étoilé que ne troublait pas le moindre nuage — les crêtes brillaient au clair de lune, les eaux du lac scintillaient paisiblement à travers les bois, les biches paissaient, les écureuils mangeaient des noix, les oiseaux de proie se laissaient planer dans l'air tiède.

Il serra les dents et ouvrit sa portière après avoir glissé une cigarette entre ses lèvres. Puis il s'extirpa de son siège à la seule force de ses bras et, une fois debout, dans la douceur calme du soir, tandis que les clameurs en provenance de la maison étaient à leur comble, il vérifia qu'il gardait l'équilibre, puis, relativement satisfait, actionna son briquet et se donna du feu avant de se mettre en marche. Chaque cigarette semblait étonnamment bonne, ce jour-là.

Les murs de la maison tremblaient. Il s'agissait d'un passage particulièrement violent d'*Apocalypse Now* et Richard Olso était aux commandes. Incroyable, mais vrai. L'insupportable boucan qui secouait toute la maison n'était rien de moins que l'œuvre de ce sinistre crétin de Richard transformé en ingénieur du son.

« C'est extraordinaire, déclara Marianne. On a l'impression d'y être. »

La pauvre fille semblait bien atteinte. « Mais qu'est-ce que tu racontes? lui lança-t-il sans même accorder un regard à Richard Olso. Et d'abord, qu'est-ce que c'est que ce truc?

— Marc, mon vieux, il s'agit de transformer le salon en salle de cinéma. Je vais vous faire une démonstration. Asseyez-vous.

— Marianne, je me suis démoli le coccyx. J'ai mis quinze minutes pour traverser la cour. Centimètre par centimètre. Et à ce propos, merci pour ton aide, merci. Ton aide m'a été précieuse. Sans toi, je ne sais pas comment j'aurais pu parvenir jusqu'ici.

— Attendez, Marc, alors là vous charriez.

— Ne vous mêlez pas de ça. N'essayez pas de vous glisser entre ma sœur et moi. Ne perdez pas votre temps. »

Marianne se leva brusquement du canapé et visa l'écran qui s'éteignit sur une grimace hallucinée de Dennis Hopper. « Et d'abord d'où viens-tu? fit-elle en passant près de lui.

— D'où je viens? Je te l'ai dit. Je donne des cours. »

Il regarda son dos, ses épaules dénudées tandis qu'elle se postait devant la baie que l'obscurité transformait en miroir. Puis il fit un geste indiquant qu'en définitive il se contrefichait de tout ça et il se dirigea vers l'escalier pour regagner ses appartements sans partager plus avant la compagnie de ces deux-là — quelques minutes avaient amplement suffi.

Il attrapa la rampe à deux mains et attaqua les premières marches en serrant les dents. Allait-il être en état d'assurer ses cours dans moins d'une douzaine d'heures? Il avait toujours eu conscience d'avoir à donner l'exemple en tant que professeur et l'assiduité faisait partie des choses qu'il fallait enseigner aux apprentis écrivains — se mettre à sa table, qu'on en ait envie ou non, écrire chaque jour, sans relâche, revenir sur une phrase, sur un mot, jour après jour, sans relâche, et ne rien faire en amateur, ne pas tirer au flanc. Il n'avait guère été pointé plus de deux ou trois fois pour ses absences tout au long de ces années — bien qu'il se révélât en certaines occasions presque héroïque tellement il se sentait faible, tellement c'était dur — et il ne souhaitait pas en allonger la liste aujourd'hui qu'on l'avait à l'œil, que des centaines de millions de chômeurs couraient le monde à demi nus et sombraient par familles entières malgré l'impeccable secours des banques.

Il parvint à l'étage le front moite. Exaspéré par la présence de Richard, autant que par l'attitude de Marianne. C'était la deuxième fois, cette semaine, qu'il trouvait Richard Olso dans cette maison et cette cadence ne lui convenait guère. Allait-on bientôt l'avoir à table? Allait-on le croiser de bon matin, en robe de chambre? L'entendre chanter sous la douche? À quel grotesque jeu Marianne se livrait-elle, tout à coup? À quoi cela rimait-il?

Il avala quelques gélules, se déshabilla, se lava les dents tandis que l'Alfa commençait à manœuvrer sous ses fenêtres. Lorsqu'il se dirigea enfin vers son lit, le moteur ululait déjà au loin. Il baissa la lumière, s'étendit. Et presque aussitôt, l'image de Myriam s'imposa à lui et le rythme de sa respiration s'accéléra un peu. Proprement déconcertant. Les sentiments qu'il éprouvait dépassaient en intensité tout ce qu'il avait jamais éprouvé jusqu'à ce jour, tout ce qu'il avait jamais imaginé. Ne pas pouvoir la tenir dans ses bras commençait à être douloureux, ne pas pouvoir la sentir, ne pas pouvoir la pénétrer, ne pas pouvoir lui parler.

Il s'offrit une dernière cigarette et soupira d'aise en constatant que les pilules agissaient, qu'il ressentait bel et bien leur effet euphorisant. Il ferma les yeux.

Lorsqu'il les rouvrit, Marianne était là, s'asseyant sur le lit. « Je ne savais pas que tu t'intéressais encore à moi, déclara-t-elle. Je suis heureuse de l'apprendre. »

Il se redressa sur ses coudes. Il portait un slip Zimmerli bleu marine tout à fait digne et il s'agissait de sa propre chambre, mais il eut l'impression d'être pris en faute, de quelque manière que ce fût. Elle alluma une cigarette et envoya quelques bouffées vers le clair de lune qui argentait les bois — terminant leur course au plafond qu'elles tapissaient.

« Mais je dois faire quoi? murmura-t-elle au bout d'un moment. Dis-moi ce que je dois faire. Attendre que tu m'annonces la nouvelle? Attendre le jour de ton déménagement? Attendre de me retrouver seule? »

Il remarqua qu'elle avait un peu bu. Il attrapa le

poignet qui tenait la cigarette et l'attira vers ses lèvres, cependant qu'elle le regardait faire. « Depuis quand vas-tu te retrouver seule ? fit-il en soufflant la fumée. Depuis quand Richard Olso représente-t-il une option valable dans quelque situation que ce soit ? Depuis quand un type qui confond avoir du talent et avoir de l'esprit retient-il donc ton attention ? Il t'a droguée, ou quoi ? L'esprit est bon pour dresser des listes, et encore... »

Sans doute était-ce ingrat de sa part que de reprocher à Marianne d'avoir usé de ses charmes, d'une manière ou d'une autre, pour le tirer de certain mauvais pas. Il en avait parfaitement conscience. Sans son intervention, il perdait son poste. Sans quelques tête-à-tête opportunément accordés à Richard et durant lesquels elle avait plaidé sa cause, il se faisait éjecter de l'université sans plus d'égards. Etc. Il le savait. Mais c'était plus fort que lui. Une vrille traversait ses entrailles.

Il avait le sentiment qu'ils étaient en train de perdre quelque chose, mais il n'avait pas encore trouvé le moyen de stopper l'hémorragie. Dieu sait qu'ils tenaient l'un à l'autre, qu'ils avaient développé une relation spéciale depuis l'époque où leur mère n'hésitait pas à se moquer d'eux, déclarant avec une grimace que « ces deux puceaux étaient *collés* ». Dieu sait ce qu'ils étaient l'un pour l'autre — sinon où aurait-il trouvé la force d'accomplir ce qu'il avait accompli, sinon quelle insubmersible rage aurait bien pu armer son bras ?

177

Mais aujourd'hui? Où en étaient-ils, aujourd'hui? Pour finir, il la serra contre lui et ils restèrent allongés, sans parler. Puis elle pleura en silence, versa quelques larmes. Puis elle se retourna sur lui et emmêla ses jambes avec les siennes. Il comprenait tout à fait bien ce qu'elle ressentait, cette peur d'être abandonnée qui remontait aux années sombres et qu'il était seul à pouvoir écarter en la prenant entre ses bras et ses jambes comme s'il bâtissait une solide clôture autour d'elle, aussi longtemps qu'il le fallait, et encore mieux lorsqu'ils disposaient d'une couverture qu'il jetait sur ses épaules et laissait pendre autour de lui comme la toile d'une tente mal fixée.

Elle ôta sa jupe qui la gênait, mais comme lui, elle garda son slip. Souvent, lorsqu'ils en arrivaient là, ils s'arrêtaient et demeuraient ainsi et s'endormaient entrelacés, le plus naturellement du monde, rassurés, apaisés, mais il était arrivé quelquefois qu'ils le fissent pour de bon, sans même s'en rendre tout à fait compte, à force d'étreinte, à force d'abandon, à force de tremblement, de frottement prolongé, d'alcool et autre substance, de désolation, et soudain il était trop tard, il se trouvait en elle, sans avoir prémédité quoi que ce soit, sans même y avoir mis les mains, et plus personne alors ne prononçait un mot — et l'on n'en parlait pas davantage le matin, ni le soir ni durant les jours qui suivaient. Ils n'éprouvaient le besoin d'en parler ni l'un ni l'autre et se remerciaient respectivement en silence de ne pas aborder le sujet.

Sans doute trouvaient-ils du plaisir à faire ce qu'ils faisaient, une fois qu'ils étaient allés trop loin, mais cela n'avait rien de très « sexuel », au sens où on l'entend aujourd'hui, cela avait davantage à voir avec une ultime connexion cérébrale, avec un furieux besoin de s'arrimer ensemble le plus étroitement possible, eu égard à la violence des vents, et le plaisir qu'ils y prenaient relevait presque de l'expérience religieuse, de la transcendance pure et simple — n'avait-il pas, la nuit de l'incendie, alors qu'ils se terraient dans un placard à balais du sous-sol, étouffé un sanglot à l'instant où il se répandait en elle ?

Le dernier rapport qu'ils avaient eu remontait à l'hiver, au terme d'un réveillon qu'ils avaient arrosé tous les deux, un peu trop arrosé, car il avait fallu surmonter de nouveau le constat amer qu'ils n'avaient pas d'amis, qu'ils vivaient un peu comme des sauvages — au bord de la route mais au milieu des bois, le voisin le plus proche était hors de vue, à plus de cinq cents mètres, perdu dans un océan de verdure —, et qu'en fait ils n'étaient que moyennement admis dans la communauté — ils avaient de la chance d'être blancs, de ne pas avoir d'accent, c'était ce qui les sauvait.

On lui avait donné raison, mais on ne lui avait jamais tout à fait pardonné. Et vis-à-vis à Marianne, les autres femmes restaient sur leur quant-à-soi, en tout cas n'approuvaient pas ce drôle d'équipage qu'ils formaient, elle et lui, lorsqu'elles ne trouvaient pas la chose tout simplement malsaine — les plus âgées se montraient les plus compréhensives, leur histoire ayant à l'époque défrayé la chronique, les signes de leur maltraitance ayant ému.

Parfois, boire quelques verres semblait être la seule planche de salut — à tout le moins quelque fine bande de terre bienveillante qu'il fallait rallier au plus vite sous peine de passer un épouvantable réveillon à deux — sous le signe du fromage blanc à 0 %.

Une fine couche de neige était tombée la veille et les alentours avaient un bel aspect poudré. Il n'était pas tard, le soleil déclinait et plongeait dans un chaudron luminescent qui vrombissait en silence, entouré de flammes, tandis que le Père Noël se préparait à descendre sur Terre.

Lui-même ne s'était pas encore changé, rien ne pressait, il se demandait s'il allait se raser ou regarder un film pour passer le temps et cheminer doucement vers le soir.

Tournée vers la baie, elle déclara que la lumière était fascinante et réclama un premier verre. Il n'était guère plus de quatre heures de l'après-midi, mais elle insista, le pressa de lui servir à boire afin qu'elle pût continuer à considérer ce magnifique paysage enneigé, merveilleusement apaisant, avec toute l'attention qu'il méritait. Il ouvrit la bouche mais demeura muet — échafaudant déjà un plan pour retrouver cette nouvelle étudiante qu'il fréquentait depuis peu, s'il ne couchait pas Marianne trop tard.

Rejoindre cette jeune femme occupait alors la plus grande partie de ses pensées. Comme chaque fois que l'une de ces filles entrait dans sa vie. Quel soulagement c'était. Quelle grande bouffée d'air frais, au début. De sorte qu'il obtempéra et prépara deux martini-gin en espérant qu'elle ne tiendrait pas trop longtemps à ce rythme et qu'il pourrait lui fausser compagnie après l'avoir mise au lit avec une serviette humide sur le front. Ils trinquèrent, cependant qu'une famille de lapins traversait la route en file indienne, cheminait dans la blancheur absolue du contre-jour. « Sois gentil de me resservir », fit-elle après que celui qui refermait la marche eut disparu dans les sous-bois.

Personne ne prétendait que le sort les avait épargnés, sa sœur et lui, mais il refusait de la suivre sur le mode dépressif qu'elle choisissait d'adopter à intervalles réguliers, lui opposant qu'ils pouvaient aussi bien remercier le Ciel d'être en vie et de leur offrir une existence relativement normale, privilégiée même, après le désastreux départ qu'ils avaient pris.

Elle n'avait pas abordé l'hiver en grande forme et son état avait empiré jusqu'aux fêtes qu'elle s'apprêtait à traverser comme un zombie — parfois il la trouvait assise dans un coin, à même le sol, les genoux pliés, et il la prenait dans ses bras pour la reconduire dans sa chambre, toute maigre dans son pyjama soyeux, d'ordinaire déjà trop grand pour elle.

Beau joueur, il la mit en garde contre les inconvénients d'être déjà passablement ivre au milieu de l'après-midi — le crépuscule s'annonçait néanmoins, dorait les crêtes — lorsqu'une soirée se profilait à l'horizon et que l'on espérait vaillamment tenir le plus longtemps possible pour ne pas sembler trop minable. Les lapins n'étaient-ils pas bientôt hors de vue qu'elle se servait de nouveau, haussant les épaules pour répondre à ses conseils. À la suite de quoi son peignoir s'entrouvrit et apparut un sein nu, en forme d'entonnoir moelleux, pointé et captivant, qu'elle tarda une seconde à remettre en place car son temps de réaction avait déjà pâli.

Il évita de croiser son regard. Il remit une bûche dans la cheminée. Qui étincela. Elle s'allongea sur le canapé, face à l'âtre qui ne fut bientôt plus que l'unique source de lumière, la nuit tombant si vite qu'on en restait parfois confondus, au fin fond de décembre. Quant à lui, il décida de s'asseoir sur le tapis, le dos calé au canapé. « Je me réjouis à l'idée de manger de la langouste », déclara-t-il en prenant conscience que cette phrase avait un côté énigmatique. Elle ricana. Il était à présent persuadé qu'elle avait découvert sa liaison avec l'étudiante — bien qu'il eût toujours pris soin d'agir à l'abri des regards, ceux de Marianne en particulier — et qu'elle accusait le coup — ses silences teintés d'amertume, de reproche, de désarroi, de colère, ne devant assurément rien au hasard.

182

D'ordinaire, elles avaient beau se mordre le poing pour ne pas crier, elles laissaient malheureusement quelquefois échapper certains bruits de gorge qui pouvaient fort bien s'entendre jusqu'au rez-de-chaussée sans que l'on tendît farouchement l'oreille. Il était le premier à le regretter, à se sentir désolé. Il avait toujours préféré les raclées qu'on lui flanquait plutôt que la simple gifle qu'on administrait à Marianne et leur mère l'avait compris assez vite — qui attrapait la pauvre fille par les cheveux et la secouait jusqu'à ce qu'il consentît à sortir de sa cachette afin de recevoir le châtiment qui lui était expressément réservé.

Il estimait qu'elle avait assez souffert. Il ne pouvait pas être celui qui la ferait souffrir davantage. Il renversa la nuque et appuya sa tête contre la cuisse de sa sœur afin d'établir le contact — toute marque d'affection, d'attachement, de chaleur, si ténue soit-elle, étant la bienvenue dans ce contexte. Il devait se montrer particulièrement attentionné avec elle. Il alluma une cigarette et la lui offrit. Comment pouvait-il être ainsi? Quelle sorte d'innommable cœur battait donc dans sa poitrine? Comment pouvait-il être celui qui la rendait soucieuse, qui la faisait trembler?

Du feu, devant lui, qui sifflait, il sentait la chaleur sur son front et ses joues tandis qu'au-dehors un air glacé tombait des hauteurs en paillettes et s'étalait dans les vallées au-dessus des guirlandes, des cloches, des décorations lumineuses installées dans les rues sans beaucoup d'imagination — et certes sans beaucoup de moyens depuis les restrictions tous azimuts qui perduraient. Il sentit la main de Marianne dans ses cheveux. Enfant, il adorait se faire coiffer, tripoter le cuir chevelu, et il abandonnait volontiers sa tête entre les mains de sa sœur — le simple passage du peigne pouvait le faire frissonner jusqu'à la pointe des orteils, le tracé d'une raie lui donner la chair de poule, et quant aux shampoings, c'était l'érection garantie. Revoir de tels instants lui fit venir le sourire aux lèvres — à moins que ce ne fussent les euphorisants. Leur père utilisait de la brillantine Palmolive. Très fluide, très parfumée.

Il se souvenait à peine de ce réveillon, aujourd'hui, six mois plus tard. Il ne lui en restait rien, sinon que le dernier rapport sexuel qu'ils avaient eu ensemble, à ce jour, s'y était déroulé. Il ne savait pas comment ils avaient fini par y succomber — succomber était le mot —, mais le carrelage de la salle de bains était dur et froid et le maigre tapis éponge qu'il était parvenu à glisser sous leurs fesses ne s'était pas révélé d'un grand secours.

Ils étaient sur le point de recommencer, aujourd'hui, dans la tiédeur de juin. Ils étaient allongés sur son lit, en slip, dans la pénombre, ils roulaient d'un bord à l'autre, enlacés dans la troublante pénombre — de sorte que l'ivresse montait — comme s'ils étaient ficelés ensemble — qu'il fût capable d'accomplir ce genre d'exercice dans l'état où il se trouvait, parfaite-

184

ment handicapé quelques minutes plus tôt, tenait du miracle.

Au cours de leur étreinte, étroite, il mesura combien il s'était éloigné d'elle, ces derniers temps, et il s'en trouva consterné. Comment avait-il pu faire une chose pareille, se répétait-il, faillir à son rôle à ce point. Quoi qu'il en soit, malgré sa maigreur, Marianne possédait une forte poitrine. Dans laquelle il enfouit son visage avant de se mettre à en sucer les bouts, rose-violet, en forme de chapeau chinois.

Elle méritait qu'il fût très gentil avec elle. Qu'il tâchât de rattraper le manque d'attention qu'il avait manifesté à son égard. Mais en même temps, il ne pouvait s'empêcher de songer à la relation qu'elle entretenait avec Richard — dont il ne connaissait pas les détails mais qui lui déplaisait souverainement, de toute façon — et il se retenait de ne pas l'étrangler. Imaginer Richard Olso possédant Marianne, Richard triturant les seins de Marianne, Richard bavant comme un bouc au-dessus d'elle, Richard ahanant, Richard réalisant une éjac faciale, etc., lui coupait le souffle.

Puis ils basculèrent.

Au matin, tandis qu'il buvait son café, il se rendit au salon et tomba de nouveau sur le matériel hi-fi que Richard faisait hurler la veille. Depuis quand cet imbécile se livrait-il à ce genre de commerce? Il se laissa choir sur le canapé où il les avait trouvés la veille, presque vautrés l'un sur l'autre. Puis il releva les yeux. Il s'agissait d'un écran plat de cinquante pouces avec son lot d'enceintes, de hautes colonnes. Il actionna la télécommande et tomba sur un torrent de boue qui emportait un village au fin fond de l'Asie, et les vaches, les coqs, les chiens, les gens, tous étaient logés à la même enseigne. L'image était belle, précise, lumineuse. Le ciel était d'un gris sombre, argenté, parfaitement nuancé, il était tombé en quelques jours autant d'eau que durant toute l'année et l'inquiétante épaisseur mouvante du ciel témoignait de la fureur des vents de l'autre côté du monde, à l'heure où ils grognaient l'un dans l'autre, électrisés, cherchant à tirer sur eux le rideau le plus noir, le brouillard le plus opaque destiné à étouffer les sons, à engluer les esprits autant que faire se pouvait.

Bien qu'il ne fût pas expert en matière de sexualité féminine, l'âpreté, la rudesse — presque la rage — avec laquelle Marianne conduisait leur rapport l'inquiétait un peu. La plupart du temps, elle finissait sur lui et livrait une espèce de rodéo sur son ventre en sanglotant à moitié. Ce n'était pas très sain, il en était conscient. Mais ce n'était pas à lui de juger ce qui était sain, en la matière. Il sortit dans le jardin pour respirer. Le soleil se levait et l'air avait une odeur de feuille verte. Une brume lumineuse flottait sur le lac. Il se tâta doucement le coccyx au travers de son pyjama dont il ne portait que le bas. Les choses, de ce côté-là, semblaient s'arranger. Il n'avait dormi que quelques heures, mais profondément, car elle était redescendue dans sa chambre un instant plus tard, comme une voleuse, après un crochet en direction de la salle de bains — au point qu'il s'attendait qu'un beau jour elle se rompît les os en dévalant les marches qui menaient à ses appartements.

Il alluma une cigarette tandis qu'un chien aboyait au loin, qu'un coucou chantait fort dans un arbre voisin. La disparition du policier — ses collègues ne doutaient plus à présent qu'il fût mort, les analyses confirmant que le sang prélevé sur le bas-côté d'une bretelle d'accès était bien le sien — demeurait un mystère, et la présence d'un tueur de flic en ville — comme de n'importe quel fou armé lâché dans la nature, cela dit, dans un lycée ou au supermarché du coin — n'amusait personne et n'était pas très positive pour l'image de la police dont les hommes se trouvaient aussitôt traités de bons à rien et de manchots. Il devait redoubler d'attention, rester en alerte. La police interrogeait à tour de bras et le danger subsistait qu'ils remontent jusqu'à la voiture, et de là jusqu'à certain prof qui vivait avec sa sœur dans les collines.

Il avait encore vérifié la grotte, quelques jours plus tôt, plus précisément de nuit pour une discrétion maximale, s'éclairant d'une solide lampe torche, armé de bonnes chaussures et d'une corde. Il n'avait pas encore sorti Annie Eggbaum de sa piscine et ainsi ajouté le tour de reins au coccyx fracturé, si bien que la descente, après qu'il eut pris soin de s'assurer avec la corde, s'était déroulée sans heurts, sans même déranger une chouette qui ululait au-dessus de lui tandis qu'il s'agrippait aux racines et aux buissons qui poussaient contre la paroi.

Aucune puanteur ne se dégageait des lieux. Aucun cadavre n'était visible. Allongé à l'extrémité de l'éperon rocheux où s'était tout d'abord abîmée la dépouille de Barbara, il avait fouillé méthodiquement les profondeurs avec sa lampe et terminé son inspection en affichant un air satisfait. Ce n'était pas demain que ce gouffre le trahirait. On n'était pas près d'en tirer le moindre corps, pas la moindre carcasse, comme si le fond était sans fin.

Il avait fumé une cigarette avant de remonter, assis sur les talons, éclairant là quelques chauves-souris, là quelques mousses, là quelques ruissellements incertains cependant que le disque étoilé du ciel flottait au-dessus de sa tête. Il aimait se trouver dans cet endroit. Il le vérifiait une fois de plus. Il se sentait étrangement protégé chaque fois qu'il descendait, chaque fois qu'il se trouvait à l'intérieur de cette muraille de pierre, il respirait, il parvenait à se détendre entièrement, à tout évacuer de son esprit. Par chance, par formidable chance, la nicotine l'étourdissait toujours plus ou moins et il priait le Ciel pour que cet incomparable effet se reproduise jusqu'à la fin des temps, pour que ce bonheur-là ne mourût jamais. Il n'y avait pas que fumer qui tuait, ici-bas — l'éventail était large.

Lorsqu'elle ouvrit sa fenêtre, le tirant de ses pensées, elle lui apparut dans une version lumineuse, mais renfrognée. Leurs rencontres se soldaient généralement ainsi, par une grimace fuyante qu'il ne savait jamais très bien comment interpréter, mais l'ombre s'estompait en un jour ou deux et se poursuivait souvent par une assez longue plage de tranquillité, de bon moral, de moindre tension.

Il lui adressa un signe de la main. Il aurait aimé en savoir davantage sur le nouveau matériel du salon, mais il allait devoir attendre.

Il en profita pour tondre la pelouse et rejoindre Myriam en ville aussi souvent que possible dans son deux-pièces dont les trois notes du carillon le faisaient frémir jusqu'à la pointe des orteils. Aussi souvent que possible signifiait à présent environ deux fois par jour : le matin, avant son atelier d'écriture, et en fin d'après-midi, en tout cas avant la tombée du soir, avant de rentrer. Tant et si bien que parallèlement et sans qu'on pût affirmer que le sexe qu'il pratiquait avec ardeur et assiduité en fût largement responsable, il dispensait d'excellents cours, très pratiques, très tranchants, très habités, que les étudiants appréciaient de plus en plus — et Annie Eggbaum n'était pas la dernière à vouloir lui témoigner son admiration et son enthousiasme.

La grande majorité des écrivains de ce pays ne valaient rien. Ils étaient le parfait exemple de ce qu'il ne fallait pas faire. De très bons exemples. Ses étudiants riaient. Il espérait au moins, à défaut d'en faire de bons écrivains, en faire de bons lecteurs. Qui savent écouter. Il les mettait en ligne et commençait à lire une page de Raymond Carver, ou d'un autre de ce niveau, en marquant la cadence avec son pied et avec ses doigts, et lorsqu'ils se sentaient prêts, lorsqu'ils avaient compris ce qui se passait, chacun venait ajouter sa voix à la sienne, dans le rythme, puis de nouveaux lecteurs entraient en piste et c'était un torrent qui grondait. En fait, les jeunes comprenaient. Il fallait leur expliquer assez longuement les choses, insister parfois, mais ils attrapaient la cadence beaucoup plus rapidement que les vieilles teignes soporifiantes qui tenaient le milieu — et en cela, il ne regrettait pas de ne pas être écrivain, de ne pas avoir affaire à ces gens, il préférait ne pas avoir à tremper les mains là-dedans.

Myriam était de son avis. Non qu'elle se vantât de faire autorité en la matière, mais il lui avait déjà tenu de longs discours sur le style, sa misère et sa gloire, sur la minutie des choix qui s'imposaient à chaque instant, sur les différents conflits qui pouvaient éclater à l'intérieur d'une même phrase, sur les sacrifices qu'il fallait consentir, sur l'absolue priorité de la langue, le tonus, la résilience, l'affûtage, la nécessité, l'abandon de soi. Elle commençait à posséder quelques sérieuses notions sur le sujet. Sans doute n'était-ce pas là son thème de conversation favori — elle préférait de loin le récit de toutes les horreurs qu'il avait connues et par quel miracle il s'en était sorti, jusqu'au bouquet final —, mais elle l'écoutait sans manifester le moindre ennui, elle regardait comme ses yeux brillaient dès qu'il en parlait, et elle en restait coite.

Elle le trouvait parfois réellement émouvant. Ce type brûle d'une véritable flamme, se disait-elle, au fond ce type est fascinant.

La littérature était fascinante. Lui n'était rien. Il raconta l'époque où il croyait pouvoir devenir un écrivain, le fol espoir qu'il avait nourri jusqu'à la pénible révélation qu'il n'en était pas un, qu'il n'avait pas la grâce.

Ce genre de conversation la touchait. Elle le trouvait définitivement beau, définitivement craquant — tandis qu'à demi nu il broyait des glaçons dans la cuisine en fumant une cigarette, racontant ses histoires dans la pénombre —, le pire étant qu'il fût, par-dessus le marché, un très bon partenaire sexuel, comme elle n'en avait pas connu depuis des années.

« Parfois, ils sont d'une telle médiocrité que, comment vous dire, j'en éprouve un sentiment de honte, déclara-t-il. Que l'on me prenne pour un tel imbécile. Que l'on veuille me faire avaler de telles bouillies, de tels trucs, aussi mal écrits. Mais d'où les sortent-ils, dites-moi ? Où dénichent-ils tant de pauvreté ? Écoutez, il n'y a pas plus d'une demi-douzaine d'auteurs vivants majeurs dans ce pays, c'est pas compliqué. Ne me demandez pas à quoi jouent les autres, Myriam, parce que ça, je ne le sais pas. »

Il faisait chaud. Une brume de chaleur flottait encore au-dessus du lac à l'heure du couchant. Elle souriait, mais il voyait bien qu'elle était désappointée.

S'en était-il trouvé une seule pour ne pas formuler la même requête ? À chaque heure, à chaque minute, Myriam s'était montrée différente des étudiantes qu'il avait connues, mais voilà qu'elle s'alignait sur ces dernières. Voilà qu'il devenait absolument nécessaire d'aller chez lui. Voilà que la curiosité devenait trop forte. Aucune n'avait résisté. Il fallait presque en rire. Il suffisait qu'il fît allusion au total manque d'intérêt de la chose, rendue plus mortelle encore par la surveillance pointilleuse que sa sœur exerçait sur ses allées et venues dès que la nuit tombait, pour qu'elles insistent davantage, pour qu'elles le poussent à céder.

Bien souvent, ayant accédé à leur désir, il mettait fin dès le lendemain à la relation en cours — à moins que la jeune femme ne méritât un surcroît d'attention et ne bénéficiât d'un sursis qui pouvait durer un mois, voire un mois et demi, à l'exemple de cette athlétique Australienne qui l'avait aidé à maîtriser les différents raccourcis de son traitement de texte, à configurer une boîte à lettres, à importer des images, à enchérir sur une casquette Hatteras en cuir de chez Stetson, jamais portée, et aujourd'hui encore il recevait parfois une lettre de son ancienne et blonde et jeune maîtresse qui avait échoué à Paris et se faisait faire des enfants en attendant mieux, dans laquelle elle disait regretter d'avoir tout flanqué par terre, d'avoir voulu forcer sa porte, de s'être entêtée. Sans doute. Peut-être n'avait-elle pas perdu au change, malgré tout. Peut-être qu'avoir des enfants était la clé, se disait-il quelquefois.

Myriam courait ce risque, de se révéler importune. Dès l'instant où il s'était installé au volant, la pensée qu'elle n'était pas différente des autres l'avait effleuré, mais il avait très vite compris qu'il se trompait. Ils étaient à peine sortis de la ville, à peine engagés dans l'ombre des sous-bois que son opinion était faite : il était ravi qu'elle soit là, assise à ses côtés — ravi de ne pas éprouver ce sentiment de malaise qui se plaisait à empoisonner son cœur chaque fois qu'il ramenait une fille à la maison, ce sentiment vague et confus de culpabilité chaque fois qu'il traversait le hall sur la pointe des pieds, les chaussures à la main, un doigt sur la bouche, si nerveux à l'idée de croiser Marianne en chemin que tous ses muscles lui faisaient mal.

Lorsqu'il prenait un passager à bord, la Fiat ne lui garantissait pas les mêmes performances et semblait se traîner, bien qu'il gardât le pied enfoncé sur l'accélérateur. Il restait en seconde, passait quelquefois la troisième pour se donner quelques instants de répit et soulager le moteur qui ronflait comme un moteur d'avion envoyant les gaz, mais quelle importance tout cela avait-il au regard du bon moment qu'il passait avec elle, zigzaguant dans les bois profondément endormis, écoutant du Gershwin revu par The Residents, quelle importance cela pouvait-il bien avoir ?

Certes, il n'avait pas l'intention de réveiller toute la maison, il n'avait pas l'intention d'en faire davantage qu'il n'en fallait, mais il se passait une chose assez formidable. C'était l'évidence. Il abandonna son levier de vitesse pour la cuisse de Myriam et tourna la tête pour lui sourire.

Comme la Fiat commençait à s'étouffer, il abandonna cette fois la chair tiède, électrique et tendre de sa passagère pour la dure bakélite du levier de vitesse et rétrograda in extremis avant d'entrer dans le virage suivant qui la projeta contre lui. Où elle resta — captive, aurait-on dit, d'un aimant malicieux —, la tête contre son épaule.

Avait-il rencontré une seule femme qui savait écouter, au cours de son existence? La réponse était non. La réponse était non, mille fois non, en aucune façon.

Jusqu'aujourd'hui, jusqu'à ce qu'il rencontre Myriam. Qui non seulement l'écoutait mais l'encourageait à partager le maximum de choses avec elle. Avait-il jamais ressenti cette impression de légèreté qu'il éprouvait à mesure qu'il se livrait à elle? Après cela était-il étonnant qu'aucune étudiante ne pût désormais trouver grâce à ses yeux?

Annie Eggbaum pouvait mettre sa poitrine en avant, venir frotter son pubis rebondi contre l'angle de son bureau — quand elle ne posait pas les fesses dessus —, ou profiter des cours qu'il lui donnait pour lui exposer plus précisément ses charmes — elle se baignait les seins nus tandis qu'il revenait sur les notions de bigger than life ou de less is more qui demeurent essentielles mais semblent si peu connues et encore moins appliquées que c'en est renversant, une misère —, restait que, quoi qu'elle fît, il ne la désirait pas davantage.

La page étudiante ressemblait à une branche morte, à présent. Elle le taquina à ce sujet, cependant qu'ils passaient en contrebas de la grotte, à propos de ces filles qui sans doute n'avaient pas manqué de le trouver à leur goût à l'occasion d'une projection en petit comité dans la salle polyvalente ou lorsqu'il expliquait pourquoi les très bons écrivains faisaient de mauvais scénaristes, et inversement, en se promenant entre les tables.

Comment ne pas penser à Barbara, à cet instant précis, dont le corps gisait dans les ténèbres, au cœur de ce mont creux, non loin de là, presque à l'aplomb de l'endroit où ils se trouvaient? Il hocha vaguement la tête. « Elles n'ont pas été aussi nombreuses que ça, se défendit-il. Il y a beaucoup d'exagération sur ce qu'on raconte. C'est presque une légende. » Comme il guettait ses réactions, elle l'électrisa en lui passant la main dans les cheveux.

« Il y a eu quelque chose entre vous? » demanda-t-elle en toute simplicité.

Il se figea un quart de seconde. Puis poussa un long gémissement désolé : « Oh non, bien sûr que non. Myriam, bien sûr que non. Cette pauvre Barbara, je n'arrivais même pas à retenir son prénom. Et pourtant, elle était ma meilleure élève.

— Elle me parlait de vous.
— En bien, j'espère
— Le ton de sa voix changeait.
— Elle muait? »

Elle le regarda fixement tandis que l'on apercevait les lumières de la maison. « Ça ne me gênerait pas, lui dit-elle. Au contraire. Je pense que ça nous rapprocherait. »

Il se gara sans répondre, coupa le contact, puis il se tourna vers elle et lui prit les mains qu'il rassembla et couvrit de baisers. Était-ce cela, être ému ? Était-ce cela, se sentir ému ? En même temps, il avait une terrible envie de fumer. Il se pencha pour l'embrasser et alors seulement remarqua la voiture de Richard Olso, presque engloutie dans l'ombre de la remise.

*

Myriam estima qu'il était encore trop tôt pour qu'il vînt s'installer chez elle mais en aucun cas il ne devait en déduire une quelconque réserve à son égard. Il la rassura. Il n'était pas question qu'il débarque chez elle muni d'une valise et d'une trousse de toilette comme un vulgaire beatnik. Ce n'était pas une chose qu'il pouvait envisager. Rien n'aurait moins manqué d'allure. Ils méritaient mieux. Ils s'embrassèrent. Il fallait aussi prendre en compte la possibilité, infime, sans doute, mais c'était une éventualité, que son mari réapparût un beau matin, recraché par le trou noir afghan. C'était une possibilité, disait-elle. Pour l'armée, son mari n'était pas décédé mais porté disparu.

Il le comprenait très bien. Tout était très clair. Elle ne devait pas se tracasser, il comprenait très bien la situation. Rien ne pressait. L'important était qu'il pût la voir autant qu'il le souhaitait — c'était tout ce qui comptait pour lui, c'était ce qui lui permettait de supporter l'atmosphère détestable qui régnait désormais à la maison, l'ambiance la plus épouvantable de leur longue carrière de frère et sœur.

À telle enseigne que ses migraines le reprenaient, après un léger mieux. Ce matin encore, il avait terminé son cours appuyé à son bureau, saisi par une sorte de vertige. « Vous vous sentez bien, Marc ? » s'était enquise Annie Eggbaum qui en avait profité pour le soutenir, pour le serrer contre elle tandis qu'il chancelait. « Je me demande ce que vous feriez sans moi », avait-elle déclaré en le guidant vers une chaise.

En fait, la raison était qu'il n'avait rien mangé depuis deux jours — en plus de s'être sexuellement dépensé et d'avoir affronté les provocations de sa sœur. Elle desserra sa cravate, déboutonna son col de chemise, l'éventa au moyen d'un cahier où elle prenait des notes dans l'espoir de lui plaire. « Est-ce que ça va bien, Marc ? Est-ce que je peux vous aider ? »

Chaque fois qu'elle l'appelait par son prénom, il manquait de s'étrangler à cause de cette proximité qu'elle lui imposait, mais il semblait que cette liberté qu'elle s'accordait ne fût pas négociable connaissant le caractère de la fille. Quoi qu'il en soit, elle le conduisit ensuite à la cafétéria, pratiquement déserte durant les heures de cours, et alla lui chercher une part de tarte meringuée qu'il avala sans discuter, raisonnablement reconnaissant.

« Demandez-moi ce que vous voulez », fit-elle tandis qu'il était penché sur son jus d'orange, le siphonnant au moyen d'une paille qu'il avait astucieusement coudée vers lui et maintenait entre deux doigts. Il secoua la tête en regardant dans le vague — du côté d'un massif d'hortensias bleus qui vibrait comme un nuage de poudre.

« D'abord c'est qui cette femme ? reprit-elle.

— Cette femme a un nom. C'est la belle-mère de Barbara. Vous voulez parler de Myriam. Mais enfin, de quoi je me mêle ?

— C'est quoi, cette préférence pour les vieilles ? Ça veut dire quoi ?

— Vieille ? Quelle idée. Elle n'est pas vieille. D'ailleurs, se suicider avant soixante ans est du pur gâchis, selon moi.

— Elle ne m'inspire pas confiance. Déjà, comment peut-on épouser un militaire ? Ou n'importe quel type en uniforme ? Faut être pas bien, non ?

— Dieu sait vers quoi notre vie nous porte, Annie, Dieu sait ce qu'on récolte au bout du compte. On décide de choisir la facilité et soudain tout se complique. On passe le plus clair de son existence à payer pour ses erreurs, vous savez, ce n'est pas moi qui l'ai inventé. On peut le vérifier chaque jour.

— Vous êtes gai, de bon matin.

— Le problème n'est pas de savoir si je suis gai,

Annie. Qui pourrait décemment être gai, aujourd'hui, en dehors des cyniques et des nantis? Répondez-moi. »

Il fuma une cigarette avec elle et lui conseilla de lire Sherwood Anderson et William Saroyan — ainsi les choses continueraient-elles de s'éclairer par petits bouts, jusqu'à l'éradication complète des ténèbres.

« Changez pas de conversation, dit-elle. Vous voulez que je me renseigne sur elle? Mon père peut charger quelqu'un de s'en occuper. C'est facile.

— Non, merci Annie, sans façon. Surtout pas. Je ne veux rien apprendre de cette manière. Je vous prie de respecter ça, vous voulez bien? »

Il en savait assez sur Myriam, il n'avait pas besoin d'en savoir davantage aujourd'hui. Elle remplissait toutes les conditions. Elle était le modèle exact de la femme dont il avait toujours rêvé sans le savoir. Cela ne faisait plus aucun doute, à présent.

« Que voulez-vous que je vous dise? Imaginez un ouragan. Songez à ces arbres déchiquetés, à ces maisons éventrées, à ces jardins dévastés que l'on nous montre régulièrement désormais, songez à ces bouleversements, à ces rivières de feu, à ces océans qui débordent, représentez-vous le tableau, Annie, et vous aurez une vague idée de l'effet qu'elle a provoqué sur moi. »

Elle haussa les épaules. Se leva, puis s'en alla rejoindre dehors un groupe de personnes de son âge éparpillées sur les marches. Ce n'était pas la première fois qu'elle le plantait là, qu'elle refusait d'en écouter davantage à propos de l'effet qu'une autre avait sur lui, cette femme qui approchait de la cinquantaine par-dessus le marché, une sorte de grand-mère quelque part.

Il lui envoya un signe amical, séparé d'elle par la vitre épaisse de la cafétéria, souriant, mais elle ne répondit pas. Il exécuta une série de gestes pour la remercier, mais elle baissa la tête. Il se leva et retourna avec son plateau vers les présentoirs. Il se servit de nouveau une tarte meringuée, gorgée de sucre, car il allait avoir besoin de carburant pour tenir jusqu'au soir.

Il repensait à ces divers épisodes tandis qu'il s'apprêtait à donner son cours de l'après-midi. Il avait été forcé de s'asseoir devant le directeur du département, Richard Olso, et l'assurer que tout allait bien, qu'il était parfaitement capable de reprendre son poste aujourd'hui, qu'il en donnait sa parole, qu'il ne s'agissait que d'un simple malaise vagal — pour finir, il avait proposé de signer une décharge dégageant l'université de toute responsabilité si un accident survenait, que Richard s'était empressé d'accepter et d'aussitôt faire disparaître dans un tiroir — avec cette légère paralysie faciale qui transformait le moindre de ses sourires en moue très déplaisante.

Seule une conscience aiguë des enjeux l'avait empêché, à cet instant-là, de saisir le bougre à la gorge.

Il toussota dans son poing. « À propos, Richard. J'y pense. Voyons voir. Qu'est-ce que vous comptez faire du matériel que vous avez installé à la maison ? Hum ? Répondez-moi.

— Alors ? Vous êtes conquis ? »

Il grimaça. « Écoutez, peu importe que je sois conquis, Richard. Je suis allé chez votre frère. Je me suis rendu au magasin de votre frère. Je connais les prix. Vous croyez que nous avons les moyens de nous offrir un tel attirail ? Attendez, vous nous prenez pour des banquiers, ma parole. Vous croyez qu'on les fabrique ?

— Calmez-vous, mon vieux. Ne vous inquiétez pas du prix.

— Je ne dois pas m'inquiéter du prix ? Vous ai-je bien entendu ? Pardon ? Je ne dois pas m'inquiéter du prix ? Et l'ancienne télé, vous en avez fait quoi ? »

Il poussa la porte de sa classe d'humeur sombre, leva la main afin de réclamer le silence et se planta devant les fenêtres, les mains dans le dos. Il allait avoir du mal à l'accepter. De plus en plus de mal. Le léger frisson dans sa nuque provenait de tous ces regards braqués sur lui. « Je tiens à prévenir dès à présent ceux qui s'inquiètent, et je vois qu'ils sont nombreux parmi vous, que mon malaise de la matinée ne signifie pas que j'aie contracté le Sida ou la grippe A ou la maladie de Creutzfeldt-Jakob. Du sang-froid, un peu de courage. Nous n'allons pas tous mourir, les amis. Inutile de sortir vos masques. »

Il y avait cet écrivain dont tout le monde parlait, sans doute meilleur que la moyenne mais affublé d'un style épouvantable, boiteux, maniéré, tout à fait insupportable, et que la critique encensait sans faillir, portait aux nues avec une belle unanimité. Il buta dans l'un de ses livres qui sortait du sac d'un étudiant. L'ayant ramassé, il l'examina. En parcourut quelques lignes. Puis il en arracha une page avant de le lancer par la fenêtre.

Il déclara qu'il était toujours intéressant de voir à quel endroit un train déraillait, à quel endroit une phrase manifestait la faiblesse, l'orgueil, l'échec, la provincialité de son auteur. Il recopia au tableau la première phrase qui lui tombait sous les yeux et qui avait le don de finir comme les autres, à savoir en prévisible capilotade, en numéro d'équilibrisme manqué, en piège à touristes pur et simple. Quelle formidable estime de soi fallait-il avoir pour écrire de cette manière, quel aveuglement. Et quelle pauvre littérature promotionnait-on là, de magazine en magazine — et de quel dérisoire et risible suivisme ne voyait-on pas l'empreinte, à cette occasion.

Il recula pour admirer son travail qui courait sur quatre longueurs de tableau.

Parfois, la bataille semblait perdue. Parvenir en fin d'année et trouver ce genre de littérature dans les affaires de ses élèves donnait le tournis, une envie de tout abandonner.

« Regardez-moi ça. Regardez-moi cette horreur,

fit-il en secouant la tête. Qu'on nous rende Marguerite Duras, par pitié. »

Profitant d'une pause, il sortit fumer dans le couloir et tomba sur l'inspecteur qui traînait encore plus ou moins dans les parages — on pouvait se demander à quoi l'on payait ces gens lorsqu'on observait ses allées et venues, ses pauses à la cafétéria, ses orgies de croissants en parcourant *L'Équipe*, non seulement le matin, mais à n'importe quelle heure de la journée, ses haltes sur le campus à l'ombre d'un micocoulier ou d'un tilleul, qui ressemblaient à des siestes, etc. —, avec son air de ne pas y toucher.

Un jour il parlait d'une identité à vérifier, un autre d'un étudiant à interroger, et encore un autre d'un vol de carte bleue, mais peut-être appréciait-il tout simplement la compagnie des jeunes femmes, que l'on trouvait en nombre sur le campus, bien qu'il fût marié, à demi vêtues en cette saison, et parfaites pour se rincer l'œil. Richard Olso n'avait pas d'informations particulières concernant la présence du policier dans leurs murs, sinon qu'elle cachait quelque chose, qu'il fouinait à la recherche d'on ne savait quoi, d'un fil souterrain, bien entendu, mais il n'était pas contre ce supplément de sécurité depuis que les fusillades se multipliaient, qu'il prenait envie à un adolescent de tirer sur les autres avant de se trucider lui-même.

« Vous croyez qu'elle est vivante ? Vous croyez qu'on ne lui a pas fait son affaire ? ricana Richard. Mon vieux, quant à moi, ce policier peut bien se promener parmi nous autant que ça lui chante. Je ne tiens pas à tomber sous les balles d'un petit imbécile qui a pété les plombs. Ou sur l'un de ces psychopathes. Personnellement, je me demande si nous ne devrions pas être armés. »

Comment allait-il pouvoir laisser Marianne entre les mains de Richard, la seule vraie question était là.

Remontant chez lui, ce soir-là, au terme d'une épuisante journée qui avait commencé par un malaise vagal et s'était terminée par la lecture de travaux que lui avaient remis ses élèves et sur lesquels il ne souhaitait pas s'étendre, il poussa un long soupir résigné — la fin des cours approchant, il n'aurait bientôt plus besoin de leur parler du style, de l'écriture, de la langue, ce qu'il souhaitait par-dessus tout étant donné que pas un seul d'entre eux ne semblait comprendre ce qu'il disait, en tout cas pas un seul n'était capable de faire entendre une voix juste, pas un seul n'avait à la fois assez de retenue et d'audace pour écrire trois lignes qui fussent d'un quelconque intérêt. Le niveau n'avait pas été bon, cette année encore. Mais à quoi cela servait-il d'écrire, sinon, songeait-il tandis que le soir infiltrait sa lumière ambrée dans les bois assombris.

Chaque année, il se demandait s'il n'allait pas arrêter — et sans doute l'aurait-il fait sans Marianne. Ses promenades au fond des bois le menaient de plus en plus souvent à la conclusion qu'il était temps de mettre un terme à son activité universitaire — il se considérait comme un imposteur, payé pour transmettre l'intransmissible —, mais il ne trouvait pas le courage de tout plaquer, d'aller s'installer dans un arbre ou au fond d'une caverne, car aucune étudiante n'aurait voulu se donner à une espèce de sauvage hirsute, aucune ne l'aurait suivi de son plein gré, et cela aussi donnait à réléchir. Le sexe avait été une formidable révélation. Le sexe lui avait permis de supporter beaucoup de souffrances et il ne pouvait pas sérieusement envisager d'y mettre un terme sans que son esprit ne commence à vaciller.

Profitant de l'heure peu tardive, sous le coup d'une vague impulsion, il fit une halte avant d'arriver à destination, se gara en retrait de la route, et grimpa le sentier comme un lynx, rapide et précis, courbé en deux, presque invisible — sa respiration sifflait à mesure qu'il progressait, des cailloux roulaient sous ses pas, des brindilles gémissaient, craquaient, ces sons lui étaient familiers, il les avait toujours entendus, parfois mêlés aux battements de son cœur en beaucoup plus fort lorsqu'elle était à sa poursuite, lorsque advenaient ces terribles scènes où elle se lançait à ses trousses en rugissant.

Moins d'une vingtaine de minutes plus tard, il rampait sur la saillie qui surplombait la faille. Un très bon temps, une assez bonne performance. Si l'on se contentait de marcher d'un bon pas, il fallait compter une demi-heure, plus encore si l'on était chargé. Le crépuscule flamboyait. La forêt alentour vibrait d'un profond silence, rythmé de croassements lointains, incertains, étirés, rapidement engloutis.

Cependant, il ne parvenait pas à reprendre sa respiration. Sa poitrine était prise dans un étau. Il porta fébrilement une cigarette à ses lèvres et se tourna sur le dos. Il n'y avait pas d'alternative à la douleur. De dures épreuves l'attendaient, d'une manière ou d'une autre, d'impensables déchirements planaient au-dessus de sa tête, accéléraient, fondaient sur lui, tourbillonnaient. Non qu'il n'eût senti le désordre s'installer, les complications, mais pas avec cette force, pas avec cette rapidité. Il haletait — ce qui ne se révélait guère pratique pour fumer, mais le goût du tabac dans sa bouche suffisait à le maintenir en vie.

Il se laissa glisser le long de la paroi pendant qu'il en était encore capable. Aucune migraine, cette fois, n'avait annoncé la crise, aucun voile n'était tombé sur ses yeux. Ce n'était pas bon signe, selon lui. C'était effrayant.

Sans attendre, il se faufila tant bien que mal — s'arrachant le dos et la poitrine au passage — entre une solide racine et la roche afin de ne pas basculer dans le vide et s'y accrocha en fermant les yeux, rentra son cou entre ses épaules.

Lorsqu'il reprit ses esprits, le soir était tombé — le disque argenté du ciel flottait à une vingtaine de mètres au-dessus de lui. Il respirait normalement. Il était entier. Il ne s'était pas mordu la langue. La lune et quelques étoiles brillaient à présent et tout semblait immobile. Il se sentait mieux, l'alerte était passée. Juste un peu moite. Les mâchoires douloureuses, la nuque encore un peu raide. Mais rassuré, apaisé, tiré d'affaire. Un instant, il colla sa joue contre la paroi humide — remerciant qui ou quoi que ce fût qui hantait ce lieu.

Il leva les yeux vers le halo presque éblouissant qui poudroyait dans l'obscurité silencieuse, et finalement se prit à sourire. Il se sentait mieux. Impossible d'expliquer en quoi cette pratique bizarre qu'il avait adoptée le revigorait, en quoi se réfugier un moment dans les entrailles du sol semblait lui redonner vie — une vie encore meilleure, débarrassée de ses nuages, prête à s'élancer, avec confiance et détermination, plus résistante que jamais. Impossible de savoir comment le charme opérait — car il s'agissait bien d'un charme, d'une sorte de drogue magique et mystérieuse qu'il s'administrait en trouvant refuge à l'abri de cette paroi humide et sombre, puissante, broussailleuse, moussue, hérissée comme le gosier d'un monstre.

Ragaillardi. C'était exactement ça. Il conserva son sourire encore un instant, puis il se dégagea et se glissa une cigarette entre les lèvres. Il frissonna dans ses vêtements souillés de transpiration, de terre. Mais il se garda de l'allumer car il devait à présent entamer sa remontée et fumer lui sciait chaque jour davantage les jambes et comprimait sa cage thoracique, pour commencer. Non que l'exercice se révélât particulièrement difficile — hors de portée d'un homme qui avait fait ses classes dans les chasseurs alpins —, mais il n'avait plus vingt ans et estimait à présent que retourner à l'air libre et se hisser au-dehors se confondait avec l'idée d'une renaissance, et donc méritait mieux qu'une entrée en scène avec la cigarette aux lèvres, dans un nuage de fumée erratique, totalement déplacée.

Il se souvenait d'une nuit où il patrouillait à ski avec un groupe de ses compagnons d'armes, jusqu'au moment où celui qui marchait en tête avait disparu dans une crevasse. On l'avait installé ensuite sur une civière et l'on avait attendu les secours. Quelqu'un avait planté une cigarette entre les lèvres de l'infortuné qui avait rendu l'âme avant de la finir, dans un nuage de fumée évanescent — et un accès de toux absolument grotesque. La scène se déroulait un soir d'été, l'année du Nobel de Saul Bellow, et ils n'avaient rien vu de la pluie de météorites annoncée, ni pu avaler quoi que ce soit, ni pu en fumer une seule jusqu'au lever du jour — juste serrer le filtre entre ses dents comme aujourd'hui, juste la garder à la bouche, juste remercier le Ciel d'être toujours en vie.

Il redescendit vers la Fiat en traversant la nuit noire à présent, s'enfonçant dans les bois. D'un trot rapide et assuré, sans trébucher une fois — il avait appris à courir entre les arbres, depuis le temps, à surfer entre les buissons —, les coudes au corps, la cigarette à l'oreille, le souffle revenu.

Marianne prenait un bain. Elle l'examina de la tête aux pieds d'un air méfiant mais il leva la main pour la rassurer, secoua la tête pour indiquer qu'elle faisait fausse route, qu'il n'avait rien fait de particulier.

Elle se frotta la nuque et les seins avec une éponge savonneuse. « J'ai besoin qu'on s'occupe de moi », déclara-t-elle d'une voix sombre. Elle se rinça.

Comme elle se levait, il lui tendit une serviette. C'est alors qu'il remarqua, sidéré, qu'elle n'avait plus un seul poil au pubis, désormais lisse comme une savonnette — elle l'observa tandis qu'il cherchait discrètement à déglutir.

*

Myriam ne s'intéressait que très moyennement au système pileux de Marianne — bien qu'elle reconnût qu'il n'était pas anodin de s'épiler —, mais elle estimait qu'il devait se réjouir de cette marque d'émancipation vis-à-vis de lui, qu'il fallait y voir une lueur, l'amorce d'un désengagement qui ne pouvait que bénéficier à l'un et à l'autre.

Rien n'était aussi simple, bien entendu. Sans doute la force du sentiment qu'il éprouvait pour Myriam l'inclinait-elle à ne rien faire ni dire qui pût mettre en danger l'incroyable expérience qu'il vivait avec elle, l'inimaginable expérience qu'il vivait avec une femme pour la première fois de sa vie. Il hocha la tête. C'était leur premier long week-end ensemble et il ne manquait pas un seul brin d'herbe verte dans la campagne où ils avaient filé — après différentes tentatives de cette sorte qui avaient échoué pour cause d'hésitation de part et d'autre —, il ne manquait pas un seul pétale de fleur aux acacias qui bordaient l'hôtel, pas un papillon, pas un frémissement de l'air, etc., et il ne voulait rien d'autre. Il hocha la tête. Il lui déclara qu'elle avait raison. Qu'il fallait se montrer positif. Ils venaient de passer trente-six heures au lit, sans poser un pied par terre autre que celui qui menait à la salle de bains, aux W-C, au bidet, à la douche, à la baignoire, au minibar, à la fenêtre lorsque le soir tombait sur la campagne dorée, ou encore à midi pour l'embrasement général qu'ils guettaient entre la fente des rideaux.

Ils étaient claqués. Il fumait une cigarette, nu, assis appuyé contre le dossier du lit, tandis qu'étendue au milieu des draps les bras en croix, nue, elle ricanait et prétendait, comme se parlant à elle-même, qu'elle devait rêver, qu'elle était folle. Il allongea son pied en souriant pour la toucher. Il regrettait de ne pas être un écrivain. Elle méritait un écrivain. Il lui avait lu, au milieu de la nuit, une nouvelle de Charles d'Ambrosio et bien qu'elle prétendît ne rien y connaître en littérature, il avait pu constater qu'elle avait un goût sûr et suffisamment d'oreille. Elle méritait mieux que lui, quoi qu'il en fût.

Allumant une seconde cigarette au moyen de la première, dans la nuit silencieuse, il songea de nouveau au sexe de sa sœur, désormais lisse comme la peau d'un abricot ou un cuir fin, d'excellente qualité, pâle comme une amande fraîche, en tout cas proprement renversant — la simple idée que Richard pût y glisser la main l'étourdissait, le frappait à toute volée, littéralement.

Myriam prétendait qu'il ne devait plus s'occuper du chemin qu'empruntait sa sœur. Elle le regardait droit dans les yeux. Depuis qu'ils avaient investi la chambre d'hôtel, l'autre matin, par beau temps, elle n'avait cessé de lui rappeler que leurs vies, à Marianne et lui, se séparaient désormais, reprenaient enfin le cours de vies normales, naturelles, retournaient à un monde où les frères ne vivaient pas avec leurs sœurs, presque comme maris et femmes, et il avait beau protester avec véhémence, en particulier sur ce point, il sentait qu'il n'était pas absolument convaincant.

D'un baiser, elle le renversait sur le lit et montait sur lui — et lui faisait vivre des moments au pied desquels il aurait, pour ainsi dire, plus ou moins déposé résolument son âme en temps normal, tandis qu'elle se trémoussait sur lui comme un ver en se pinçant les seins et qu'il se sentait bondir en elle comme une fusée.

Il monta le son de ses écouteurs pour écouter *Downtown* de Greg Brown et se mordilla les lèvres. Myriam s'était à présent assoupie contre lui, sous son bras, et il n'y avait rien qu'il pût désirer davantage. Pas même d'être l'écrivain qu'il n'avait pas été — ce dont il tirait quelque fierté, eu égard à ce que cela signifiait pour lui. L'intensité de ce qu'il éprouvait pour cette femme abandonnée contre son épaule encore une fois l'épous-touflait, le confondait.

Avait-il une seule fois imaginé qu'une telle chose lui adviendrait ? Il avait l'impression qu'on l'avait drogué, que l'ivresse avait augmenté à mesure que les heures et les jours s'étaient écoulés.

La situation ne s'arrangeait guère en Afghanistan, mais elle ne semblait pas s'inquiéter pour autant. Elle le regardait en souriant, secouait la tête en répétant qu'elle était folle. « Comment puis-je avoir une rela-tion avec un homme ?!..., s'exclamait-elle de temps en temps, en prenant un air horrifié. Je suis mariée !... Comment concentrer autant de folie dans une cervelle aussi petite que la mienne.

— Nous ne pouvons pas abandonner ce pays après y avoir fichu le chaos, Myriam. Il fallait y penser avant. Je veux parler des troupes que nous avons là-bas. Une fois qu'on y a mis le doigt, il faut aller jusqu'au bout, on n'a plus le choix.

— Je n'avais pas prévu que les choses évolueraient ainsi entre nous. Voilà ce que j'essaie de vous dire.

— Je lui parlerai. S'il revient, je lui parlerai. Mais je n'y crois pas beaucoup. Il y a trop longtemps qu'il ne donne plus signe de vie. Attendez-vous à voir quel-qu'un sonner à votre porte, attendez-vous à recevoir une mauvaise nouvelle. Et sans doute une médaille.

— Nous verrons bien. Je n'y pense pas. Ne parlons pas de lui. Regardez-moi. Est-ce vous que j'attendais ? Est-ce vous que j'ai mis si longtemps à trouver ? »

Ému, il roulait alors sur elle et la serrait dans ses bras. Ce premier week-end qu'ils passaient ensemble, à deux heures de route, sur la rive opposée du lac, leur montait légèrement à la tête — ils se parlaient stupidement, se regardaient stupidement, flottaient sur un stupide nuage dont ils ne cherchaient pas à descendre.

Quelques jours plus tôt, il avait dû se rendre à l'évidence. Annie Eggbaum avait profité d'une journée particulièrement embaumée pour se coller à lui et lui glisser à l'oreille le résultat des recherches que les sbires de son père avaient menées. Bien qu'agacé, il l'avait écoutée — après l'avoir priée de faire un pas en arrière, d'avoir un peu de tenue.

Durant un instant, un voile noir s'était abattu sur lui. Les bâtiments du campus étaient devenus étincelants, le gazon avait brillé, avait flambé comme du soufre. Puis il s'était repris. En remerciement, il avait laissé Annie se pendre à son cou et se frotter à lui durant deux ou trois minutes. « Laissez-la tomber. Venez vous reposer chez moi, avait-elle proposé, pleine d'espoir. — Dites-moi, Annie, est-ce que c'est un pari ? Vous avez fait un pari ? »

Une telle constance, un tel entêtement. Sans doute, pour ces simples qualités, aurait-elle mérité davantage d'égards, d'attention, mais il n'avait plus de temps à lui consacrer désormais — depuis le premier instant où il avait posé les yeux sur Myriam, depuis l'électricité qu'il avait sentie sous ses doigts en la touchant, depuis qu'il avait été pris dans l'étau de ses cuisses blanches, s'était agenouillé devant sa source écumante, etc. Il était rentré chez lui et s'était s'allongé.

Son téléphone avait sonné à plusieurs reprises. Une vingtaine d'apprentis écrivains se sentaient sans doute pris d'un accès de panique à l'idée de rater l'un de ses cours, ou encore Richard essayait-il de le joindre afin de savoir ce qui se passait. Il était resté sur le dos une partie de l'après-midi. Sombrant dans un demi-sommeil.

Il avait ruminé jusqu'au soir, allongé sur son lit, à l'étage — qu'il avait équipé d'un surmatelas merveilleusement confortable, sachant comme il le savait à quel point bien dormir était indispensable —, dans une maison vide et silencieuse, glissant comme un galet sombre dans le crépuscule mordoré, puis il avait décidé qu'il ne regrettait rien. Décidé que le bilan demeurait largement positif, que le prix à payer n'avait aucune importance. Il s'était redressé pour empoigner son téléphone et retenir une chambre double dans un endroit tranquille.

Il s'était acheté de nouvelles chaussures de sport et il avait très envie de les essayer. Il avait envie de courir un peu, de partir à travers bois. Peut-être en direction de la grotte, il n'avait rien décidé, il avait besoin de sortir, de respirer. Cette idée de partir en week-end avec elle brillait comme un objet tombé du ciel, comme une lanterne agitée dans la nuit, indiquant le chemin de la maison, le but ultime. Indiquant le chemin de la maison. Le but ultime. Au fond, tout était clair.

*

En fait de chambre, il s'agissait d'un bungalow. Il avait choisi celui qui se trouvait le plus à l'écart et fait grande provision de cigarettes.

Maintenant, il connaissait la douceur. Il savait désormais ce qu'une femme avait à offrir, au-delà du sexe. Il était au courant, désormais. Il se sentait apaisé.

Il la repoussa délicatement — elle glissait et dégringolait sans cesse — puis se leva pour aller regarder dehors. L'aile avant de la Fiat était si abîmée qu'on aurait dit qu'il était rentré dans un arbre. Ils avaient percuté un daim en arrivant, qui avait débouché du bois tandis qu'il conduisait l'esprit ailleurs, peut-être encore perturbé par le renseignement qu'Annie lui avait fourni quelques jours plus tôt — l'animal avait surgi à contre-jour et ils l'avaient pris de plein fouet.

La direction de l'hôtel avait envoyé une bouteille de champagne dans la chambre. Qu'ils s'étaient empressés de boire sans presque reprendre leur souffle. Ils n'avaient rien eu, mais l'animal avait expiré durant de longues minutes. Ils s'étaient déshabillés à la hâte et avaient entamé ce fameux week-end, sans même se donner le temps d'ouvrir leurs sacs, par l'un de ces rapports sexuels débridés que convoque la proximité de la mort — l'animal avait rendu l'âme au moment

215

où ils se décidaient à le tirer vers le bas-côté, se vidant de son sang sur l'asphalte de la plus terrifiante façon qui soit, et pesant presque une centaine de kilos, jusqu'à l'arrivée de la police de la route.

Trente-six heures plus tard, hormis la lumière, le tableau n'avait pas changé, des bois plongeant vers le lac, des montagnes lointaines, un ciel pur. Il sentait la tiédeur du dehors à travers la baie, sur sa peau nue, particulièrement sur ses testicules. Bientôt, le lac allait s'éveiller dans un océan de feu, les berges allaient se couvrir de flammes. Il tendit la main et attrapa ses lunettes de soleil.

La maison avait fini par brûler de la cave au grenier. L'étage avait fini par s'effondrer avec un grondement sinistre. Il était encore resté une dizaine de minutes — sans frémir d'un cil bien qu'il ne fût guère en bon état, titubant légèrement, à la veille de ses quatorze ans, les joues encore brûlantes, l'œil tuméfié —, avant de tourner les talons. Il ne s'était évanoui qu'un peu plus loin, sur le bord du sentier, tombant d'abord sur les genoux, puis s'étalant de tout son long sur le goudron de la route tandis que Marianne arrivait en courant, les bras tendus vers lui, pleine de chagrin, quelques secondes trop tard pour enrayer sa chute, pleine de ses gémissements désespérés d'adolescente.

Il toucha le pied de Myriam pour lui montrer un écureuil entré dans la chambre, attiré par l'odeur de toasts refroidis, gonflés de sirop d'érable. Comment aurait-il pu lui en vouloir de quoi que ce soit? Il la contempla, dans les oreillers, toute flapie, toute froide. Se demandant si sa qualité d'officier de police n'ajoutait pas des fois à son charme.

Il n'avait pas l'intention d'aborder ce sujet avec elle, de toute façon. De lui dire qu'il savait, qu'elle était démasquée. Il n'en voyait pas l'utilité. Écraser un daim était mauvais signe. Ils s'étaient vus dans son œil devenu vitreux et ça n'était pas bon non plus, ça n'était pas de très bon augure, mais ils avaient tenu ces nuages à distance, néanmoins. Ils avaient fait un effort sur eux-mêmes. Il s'agissait de leur premier week-end, de leur premier long tête-à-tête.

Il essaya de l'imaginer en uniforme, en bleu marine. La veille du départ, tandis qu'elle dormait, il avait fini par mettre la main sur son arme — cachée au fond d'une botte, sous une chaussette en grosse laine — et avait pu l'examiner dans la pénombre et il était resté un instant stupéfié par l'absolue myopie dont il avait fait preuve durant tout ce temps, lui et ses fameuses règles, lui et ses fameuses précautions. Souvent, a posteriori, on ne pouvait que trembler devant les précipices qu'on avait frôlés à son insu, les dangers qu'on avait courus sans le savoir, le cheveu auquel on devait d'être encore en vie. Il secoua la tête. Il entrouvrit la baie pour fumer.

L'air chaud entra. Les bruits en provenance de la piscine de l'hôtel se firent plus nets, les conversations téléphoniques, les drinks, les plongeons. Un instant, il faillit lui proposer d'aller piquer une tête mais il se reprit aussitôt à l'idée d'avoir une conversation avec un jeune acteur défoncé ou la femme d'un footballeur autour d'une coupe ou un quelconque sosie de Paris Hilton — et ce genre de situation pendait dangereusement au nez de quiconque s'avançait vers les parasols, se promenait entre les transats à l'heure des martinis et restait assis au milieu des autres, tourné vers l'ouest, selon cette aimable tradition qui voulait qu'on applaudît le coucher du soleil tout comme on applaudissait le pilote du 747 qui posait son engin sans encombre, ce genre de comportement infantile ou comment l'imbécillité provenait du groupe.

À combien de kilomètres à la ronde les hôtels étaient-ils pleins chaque week-end, combien de bougies, combien de dîners aux chandelles, combien d'adultères? Il grimaça un sourire à cette image de lui qu'ils lui renvoyaient et qu'il fallait bien assumer — mais il n'était pas sûr qu'elle aurait préféré faire du camping et dîner d'un kebab.

De la poudre de verre brillait sur le tapis, devant le fauteuil où il avait plié son pantalon. En explosant, l'écran avait émis un son creux, étouffé, et lui était tombé en pluie sur la tête, par la fente du carton qu'il portait à bout de bras pour passer entre deux voitures.

Il venait de fracasser l'écran plat de cinquante pouces, qu'il rapportait au frère de Richard, contre l'angle d'une lourde enseigne un peu ancienne, à l'armature métallique, que les forts vents de la veille avaient tordue et pliée au-dessus du trottoir. En même temps, une formidable douleur avait irradié de son coccyx, pour disparaître aussitôt, comme par enchantement, le laissant foudroyé, paralysé par la peur d'une seconde imprévisible attaque.

« Mais qu'est-ce que vous foutez, mon vieux ? avait soupiré Yannick Olso, propriétaire du magasin Olso Hi-Fi spécialisé dans le haut de gamme, bras croisés sur le seuil. Qu'est-ce que vous branlez, ma parole ?! »

Son coccyx l'avait lâché durant un centième de seconde, mais bien lâché. Il n'y avait rien à faire, malheureusement, il n'y avait aucun traitement à suivre sinon attendre que la nature parvînt au terme de son lent et méticuleux travail de réparation et en s'abstenant de forcer sur la chance entre-temps, en voulant soulever des poids.

Abandonnant le carton sur le trottoir il s'était épousseté, avait secoué ses cheveux. « Vous deviez m'envoyer quelqu'un, avait-il dit, et vous m'avez rien envoyé du tout. Voilà le résultat. Économie ? Zéro.

— Faut le faire, n'empêche, avait repris l'autre en secouant la tête d'un air navré. Faut être d'une sacrée maladresse.

— Oui. Désolé. Vous n'auriez pas un verre d'eau, je dois prendre un cachet. »

Ses migraines avaient repris. Une fois à l'intérieur, Yannick Olso était repassé derrière son comptoir. « Vous voulez pas essayer un vidéoprojecteur ? avait-t-il demandé. Faites l'expérience du vidéoprojecteur.

Écoutez-moi. J'ai forcément un produit qui fera l'affaire.

— Vous n'avez pas une fontaine avec des gobelets ? Que je puisse avaler ces fichus machins », avait-il répliqué d'une voix sourde.

De minuscules éclats de verre scintillaient ainsi sur le tapis, quarante-huit heures plus tard, dans l'ambre du soleil couchant, dans l'or de ses rayons rasants, presque rosés, sans doute échappés de ses revers de pantalon ou d'une quelconque doublure.

Il caressa la jambe — à présent presque raide — de Myriam — qui s'était fait épiler juste avant de venir. Que le désir qu'il éprouvait pour elle ne fût pas entamé d'une once, après trente-six heures d'absolue intimité, ne laissait pas de l'étonner. De même qu'il ne tentât rien pour s'enfuir — rien n'était moins étrange. Mais il avait connu des filles qui se laissaient prendre en mâchant leur chewing-gum, fumaient ou recensaient les livres de sa bibliothèque en se tordant le cou sur le côté. En quoi Myriam pouvait-elle bien leur être comparée ? En quoi pratiquaient-elles le même exercice ? Lorsqu'elle le tenait serré contre sa poitrine, le souffle court, frémissante, qu'aurait-il pu lui opposer ? Quelle importance alors qu'elle fût officier de police ou bonne sœur ?

La dépouille du daim occupait le plateau arrière d'une camionnette et bien qu'il eût appelé la direction pour demander que l'on débarrasse le parking de cette pénible chose, rien n'avait bougé — on s'était contenté de leur livrer une seconde bouteille de champagne. Quel manque de chance, songea-t-il une fois encore, le regard posé sur l'animal dont le sang avait maculé le fond de la camionnette, puis séché, puis noirci. Il se tenait derrière la baie de la mezzanine où leur lit était installé et ainsi profitait d'une vue relativement plongeante sur le daim qui avait les yeux ouverts. Il avait demandé qu'au moins on le couvrît d'une bâche, mais l'idée semblait avoir été abandonnée depuis longtemps et lui-même ne songeait plus à s'en plaindre à présent. Sans raison particulière. Il l'acceptait. Un napperon de sang séché luisait comme une laque autour du museau de l'animal. Il aurait voulu pouvoir retourner en arrière et donner le coup de volant une seconde plus tôt. Il prit une cigarette. Il n'y avait aucun mouvement sur le parking. Quelques oiseaux noirs — impossibles à identifier — filaient au-dessus de l'horizon, quelques branches frémissaient à peine dans l'air tiède.

Yannick Olso, remarquant sa pâleur, l'avait invité à s'asseoir un instant, jusqu'à ce qu'il se sentît mieux. Mais son cerveau flambait encore lorsqu'il était rentré chez lui et qu'il s'était garé derrière l'Alfa Romeo de Richard. C'était un miracle lorsque les cachets venaient à bout de ses migraines, qu'il triplât ou quadruplât la dose, et le seul vrai remède qu'il connaissait, qu'il avait expérimené, consistait à s'allonger, à poser sa tête sur les cuisses de Marianne et à lui offrir son front et ses tempes pour qu'elle en prît soin —

qu'elle y appliquât simplement ses mains attentives suffisait.

La présence de Richard contrariait absolument un tel projet.

Richard Olso. Pas une fille sur le campus ne parvenait à lui trouver quelque chose. Pas une femme n'aurait eu l'idée de jeter un regard sur lui. Excepté une.

Peu importaient les raisons qui avaient conduit Marianne à se jeter dans les bras de Richard. Peu importaient les raisons qui conduisaient une femme à commettre ce genre de dinguerie mortifère. Il ne voulait plus y penser. Il aurait donné mille fois sa vie pour Marianne, il l'avait prouvé, mais le résultat était là. Absolument navrant. Dehors, le bleu du ciel se cuivrait de rouge. Absolument désespérant, même, se disait-il. Qu'est-ce qui n'allait pas, chez elle ?

Il se pencha au-dessus de la gazinière installée dans la kitchenette pour allumer une cigarette car son briquet ne produisait plus que des étincelles. Levant de nouveau les yeux sur le parking, il s'interrogea une nouvelle fois sur le tableau qu'il avait sous les yeux : était-ce un nuage de mouches vibrionnant au-dessus de la bête morte, exposée au soleil, relativement ensanglantée, ou s'agissait-il d'un effet de ces migraines qui se succédaient comme des vagues ces derniers temps, de voir des taches noires et de les prendre pour des mouches.

Il ne regrettait pas de l'avoir bousculée. Ce n'était rien, en comparaison de ce qu'elle lui avait fait. Peu importaient les raisons.

Il posa les yeux sur Myriam et se demanda si Dieu avait créé les femmes dans le but de faire souffrir les hommes, en particulier lorsqu'elles ont basculé au-delà de la quarantaine et ont ce regard intimement résolu, profondément réjoui. Il ne lui en voulait décidément pas, il ne lui reprochait rien, il ne lui reprochait rien car il savait qu'elle ne lui avait pas menti pour l'essentiel et n'avait pas subi ses étreintes comme une potion mais les avait résolument recherchées, mais y avait pris goût, y avait pris un goût qu'elle ne songeait pas à cacher — et il comprenait à présent ce qu'elle voulait dire quand elle le regardait dans les yeux et déclarait qu'elle était maudite.

Depuis la veille, au matin de leur entrée dans le bungalow, jusqu'à cette heure-ci, à la tombée du soir, il estimait qu'ils avaient eu environ une demi-douzaine de rapports sexuels et chacun d'eux l'avait laissé sans voix — même après qu'il eut pris certaine disposition, sans doute indispensable, mais qui ne l'avait pas réjoui. Cette idée de week-end se révélait malgré tout une idée formidable, se disait-il en se penchant pour examiner les fesses de Myriam, pour tenir son nez au-dessus d'elle et de sa limace alanguie, gonflée, sidérante.

Il se glissa un instant contre elle, dans son dos. Non pour se livrer à quelque séance de sodomie morbide à la faveur du crépuscule — et bien qu'un inévitable processus d'érection fût mis en branle au contact des deux hémisphères et de la raie encore moite et pois-seuse —, mais pour juger du sentiment qu'il éprouvait pour elle, au-delà des trahisons et des mensonges, pour en mesurer la force et y puiser le réconfort dont il avait besoin.

Il y avait une petite chance pour que Marianne empêchât les choses d'aller trop loin. Sans doute allait-elle se reprendre et convaincre Richard d'en rester là, mais à quoi les lendemains allaient-ils ressembler, désormais? Dans quel désert allait-il pouvoir crier s'ils se séparaient — et pouvait-il encore l'éviter?

Il n'avait pas remis les pieds à la maison depuis l'autre jour, depuis qu'il les avait surpris, sur un haut tabouret de la cuisine, et avait cédé à un accès de fureur que sa migraine — qui n'avait cessé de s'amplifier depuis qu'il avait quitté le magasin du frère — n'avait certes pas contribué à contenir. Il avait passé la nuit sur le bord de la route, dans la Fiat, fumant cigarette sur cigarette — alimentant du même coup sa migraine qui lui broyait littéralement les os du crâne —, scrutant la pénombre des bois alentour, grimaçant de douleur et de perplexité. Il avait vu passer une ambulance et plus tard, tandis que la lune se levait, il avait vu le fantôme de sa mère traverser le ciel et voguer dans les nuages, au-dessus des cimes.

Il déposa quelques baisers sur l'avantageuse poitrine que Myriam lui offrait après avoir roulé sur le dos, lui en suçota un peu les bouts cependant que son esprit s'envolait ailleurs, que son regard se perdait dans le vague. Il caressait la cuisse de Myriam et c'était à sa sœur qu'il pensait, au traumatisme de leur séparation.

Il commanda des apéritifs et des club-sandwichs. On entendait des voix, le gargouillement d'un plongeon, le grésillement des éclaboussures, des rires — à quelques centaines de mètres de là où ils se trouvaient.

Il allait de soi que cette histoire ne pourrait jamais s'arranger. Qu'il ne pourrait plus remettre les pieds dans cette maison — chez eux, disaient-ils encore quelques jours plus tôt — ainsi qu'elle l'en avait averti tandis qu'il traversait le jardin en serrant les dents de toutes ses forces et marchait vers sa voiture au son des hurlements de truie que poussait Richard à la suite de la casserole d'eau bouillante qu'il avait reçue en pleine action, dans les fesses et dans le dos. Ce genre d'histoire ne s'arrangeait pas.

Le regard qu'ils avaient échangé sa sœur et lui, avant qu'il ne vidât les lieux — « Débarrasse le plancher !! lui avait-elle lancé d'une voix sourde, hors de ma vue, espèce de fumier !! » —, avait l'avantage d'être clair. Il estimait en avoir pour des années avant qu'elle acceptât non seulement de lui adresser à nouveau la parole mais de le laisser approcher à moins de cent mètres, peut-être des dizaines d'années.

Il n'était plus très jeune. Envisager de longues distances commençait à faire frémir. Un instant, il se demanda s'il n'aurait pas dû lui-même s'arroser d'essence afin de faire pencher la balance de son côté — il s'était ainsi planté un épluche-légumes dans la cuisse, un beau matin, contraignant sa mère à demander du secours au lieu de lever la main sur lui, et son père à ôter sa ceinture pour lui faire un garrot.

Il avait écrit une nouvelle sur ce thème vers le milieu des années soixante-dix, lorsqu'il avait cru sentir une mystérieuse émotion à l'examen d'une suite de mots qui se formait dans son esprit et qui ne demandait plus qu'à être dactylographiée, avec un commencement et une fin, mais il s'agissait malheureusement d'une fausse alerte. Il se souvenait de l'opiniâtreté avec laquelle sa sœur lui avait répété, durant des années, qu'elle croyait en lui, en son potentiel d'écrivain sous prétexte qu'il était bon au Scrabble et qu'il se risquait parfois à écrire quelques lignes lamentables. Il avait échoué, sans doute, mais au moins la confiance aveugle de Marianne, son absolue certitude que son frère avait un don particulier, l'avait aidé à relever la tête, à ne pas être détruit par la terrible et pure tragédie qu'il devait déclencher au bout du compte, parvenant un beau soir à la conclusion que sa mère allait finir par le tuer — ne l'avait-elle pas, un peu plus tôt, jeté au bas de l'escalier qui menait à la cave puis corrigé au moyen d'une canne?

Parfois, l'hiver, lorsqu'il marchait à travers bois et qu'un vent glacé se mettait à souffler, certains points de ses os redevenaient douloureux. On lui avait compté trois fractures, mais il y en avait eu davantage, il ne les avait pas toutes signalées — son nez, par exemple, n'avait commencé à bleuir que deux jours plus tard.

Il avait attendu de voir les flammes jaillir du toit

pour songer à reculer, pour simplement songer à réagir — mais il avait à peine quatorze ans et se tenait devant une espèce d'immense bûcher étincelant, ronflant comme un réacteur d'avion et cette vision le paralysait —, si bien que des brandons incandescents dégringolaient autour de lui comme une pluie de météorites. Il s'était alors emmêlé les pieds et avait fait une chute malencontreuse en regagnant le goudron de la route, y abandonnant la peau de ses bras et de ses jambes et de toute une moitié de sa figure cependant que la Volonté du Ciel s'Accomplissait derrière lui, que des particules de feu tournoyaient dans l'air brûlant, puis il s'était évanoui avant que Marianne ne l'atteignît. Le premier pompier arrivé avait mis un genou en terre, l'avait tenu contre son épaule, lui avait caressé la tête et se tordant la bouche, plein de compassion, avait fait : « Tout va bien, mon p'tit gars, oh mon pauv'petit gars, tout va bien, oh là là. »

Il essaya d'oublier qu'elle n'avait plus un poil entre les jambes, à présent — que cette attention ne lui était pas destinée —, mais la chose n'était pas très facile, l'image restait collée au fond de son esprit.

Que fallait-il faire, à présent? Dans moins d'une douzaine d'heures, le jour se lèverait de nouveau et la vie reprendrait son cours et tout redeviendrait intolérable. Le lundi matin était la pire journée de la semaine, déjà en temps normal. Richard commençait par la liste des nouveaux livres sortis en librairie, la livraison hebdomadaire, et s'il y avait un tocard parmi eux, un auteur n'ayant strictement aucun intérêt, on pouvait être sûr que Richard en ferait l'éloge, vanterait une écriture majestueuse, un style éblouissant, une langue riche, etc., on pouvait y mettre sa main à couper. Et il fallait donner un cours après ça, soutenir que la littérature pouvait sauver des vies ou soigner de la lèpre ou de Dieu sait quoi.

Il imagina le dos de Richard couvert de cloques et se demanda si sa carrière universitaire avait encore un futur, sa carrière à lui. Il allait sans doute se faire éjecter, cette fois, Richard allait lui indiquer la sortie et il ne pourrait rien y faire.

Ce n'était pas le bon moment, en ces temps d'incertitude économique, pour perdre son emploi car les banques étaient rudes et rusées, et le Trésor public armé d'une poigne de fer. Il termina son sandwich en éprouvant une sorte d'inquiétude, tout à coup. Puis il pensa à autre chose.

Être amoureux ne suffisait pas, apparemment. Ou plutôt être amoureux ne suffisait plus. Les feuilles de laitue étaient un peu ramollies, les toasts un peu froids à présent. Sans doute était-il agréable de penser qu'on avait le choix dans la vie, mais la vérité était tout autre, la vérité était beaucoup moins drôle.

Il lui effleura le mollet et lui déclara qu'il lui devait sans doute les meilleurs moments de sa vie, et qu'il voulait qu'elle soit sanctifiée pour ça, pour ce sentiment qu'elle lui avait fait découvrir, il voulait que grâce lui en fût rendue, absolument, mille fois. Peu importait cette énorme comédie qu'elle lui avait jouée pour l'approcher, cette hallucinante comédie du mari porté disparu dans les montagnes d'Afghanistan, tout cela semblait si terriblement secondaire au regard de ce qu'il avait obtenu.

Il se demanda si elle avait tout inventé elle-même ou si on l'avait aidée à monter cette histoire de sergent perdu au fond d'un désert montagneux — c'était, quoi qu'il en soit, assez dérangeant d'imaginer qu'on se battait en votre nom, en ce moment même, dans vous ne saviez quelle partie du monde exactement, que le sang coulait, que des hommes se faisaient couper la tête, que des femmes étaient violées.

Il avait eu affaire à une sérieuse comédienne. Il ricana silencieusement à cette pensée car il appréciait la manière dont elle l'avait berné, il appréciait la présence de la pure vérité au milieu du mensonge. Il leva son verre dans sa direction et, renonçant pour l'instant à prétendre qu'il accepterait de tout son cœur d'être jeté en prison si c'était de ses propres et adorables mains, il tira son téléphone de sa poche et fit défiler quelques photos où on les voyait ensemble, assis contre le dossier du lit, le drap tiré sur les jambes, échevelés, souriants. « Ah, elles sont bien. Je les trouve bien, dit-il. Bientôt, on n'aura plus besoin de flash. Chaque jour, ils sortent une nouveauté. » Il la considéra tendrement, chagriné par le teint hâve — la décoloration des lèvres, le grisé des joues.

Annie Eggbaum appela pour savoir s'il pouvait lui

donner une date et il répondit qu'elle n'avait qu'à choisir elle-même, que son jour serait le sien, et Annie demeura un instant sur le qui-vive, s'interrogeant sur cette nouvelle attitude à son égard. « On dit que souvent femme varie, confessa-t-il, mais les hommes c'est un peu la même chose. On ne sait pas davantage où l'on va. Au moins, nous avons ça en commun. Ces volte-face. Ces errements. Est-ce que vous me suivez, Annie?

— Mon père me fait signe. Il me charge de vous transmettre ses amitiés.

— Très bien, Annie. Message reçu.

— Écoutez, Marc. Est-ce que je peux vous dire quelque chose?

— Bien sûr. Allez-y.

— Ça sera très bien, vous allez voir. Soyez un peu cool. Je ne vais pas vous demander en mariage. Détendez-vous. Le seul danger, c'est que ça vous plaise. Je suis honnête avec vous. »

Elle voulait réellement avoir une aventure avec lui. Elle poursuivait toujours ce but, avec une constance qui méritait le respect, comme si on lui avait jeté un sort. Elle était impayable, cette fille. Elle n'allait pas le lâcher. Ils semblaient ainsi faits, dans cette famille. Peu enclins à renoncer.

N'importe quel soir de la semaine prochaine était un bon soir.

« Okay, disons mercredi. Je n'aurai plus mes règles.

— Mercredi, c'est parfait.

— Marc, il me tarde de vous voir.

— Nous n'aurons qu'à nous retrouver dans mon bureau. Vous m'aiderez à trier des copies ou je ne sais quoi. Je fournirai les préservatifs.

— Ne soyez donc pas si soupe au lait. Pensez à ce pauvre Zuckerman, à ce qu'il donnerait pour être à votre place. Revenez un peu sur terre, de temps en temps.

— Ces détails sur l'incontinence font froid dans le dos, je vous l'accorde, mais avez-vous observé comme l'œil de cet écrivain était aiguisé, comme il avançait d'un pas sûr, comme il avait l'oreille dressée ? Vous avais-je raconté des blagues ? Parfois, je pense qu'on ne devrait plus lire que de la poésie. Vous avez pu jeter un œil sur Frederick Seidel ? Renversant, non ? Ça vous l'a coupée, j'imagine. »

Il raccrocha. Tandis que le crépuscule s'étendait, tel un voile de velours pourpre déroulé au ras de l'horizon flamboyant, au même instant, trois hommes armés de couteaux aiguisés sortirent par la porte des cuisines et foncèrent droit sur la camionnette où se trouvait le daim.

Tout fut expédié en quelques minutes, avec dextérité. Ces gars-là s'y connaissaient. Chacun s'en retourna avec de beaux morceaux sous le bras, des cuissots, des kilos de côtelettes, de la viande à faire mijoter, au meilleur prix qui soit. Ils avaient laissé la tête, et celle-ci, appuyée contre la ridelle, semblait tournée vers lui.

Il sortit une seconde, le temps de la couvrir d'un peignoir blanc de l'hôtel, puis rentra.

Il retourna s'asseoir près de Myriam. Le choix avait été si terrible, si difficile. Être amoureux ne suffisait plus, être amoureux ne passait plus au premier plan. Mû par ses sentiments pour elle, il lui prit la main et la garda contre ses lèvres, perturbé, mais il se sentait impuissant, incapable de lutter contre lui-même. S'il se montrait si stupide, personne n'y pouvait rien, personne ne pouvait sauver quiconque de tant d'ignorance.

Aux moments d'oppression succédaient des moments de libération. Il se leva de nouveau. Cette fois, le chemin paraissait nettement plus difficile à parcourir, nettement plus long, nettement plus dangereux. Il s'approcha de la cuisinière et ouvrit le gaz. Il tira une chaise, se mit à la table avec son crayon et son carnet. Le gaz, à présent, poussait un léger sifflement continu. Il écrivit : « Ma chère Marianne... », puis il s'arrêta là et demeura immobile durant d'interminables minutes. Les choses commençaient à tourner au ralenti.

Soudain, leur navire avait sombré. Soudain, il n'était plus question de finir ses jours ensemble ni de se soutenir jusqu'à la nuit des temps, il n'était plus question de rien, tout à coup. « Ma chère Marianne... » L'exercice n'était pas facile.

Il repensa à ce frère qu'il avait failli avoir et qui aurait sans doute empêché que tout ça n'arrive — à commencer par emporter le cerveau de leur mère. Dehors, sur le parking, à moins d'une centaine de mètres devant lui, le peignoir couvrant la tête de l'animal formait une tache vaguement luisante dans l'obscurité. Même si l'on n'était pas superstitieux, on ne pouvait y voir un bon présage. Écraser un daim ne pouvait rien apporter de bon. Bien au contraire. Bien au contraire.

Vu de l'intérieur, il se glissa une cigarette entre les lèvres et empoigna son briquet.

Vu de l'extérieur, le bungalow explosa comme une citrouille lumineuse, aspergeant les alentours de sa lumière dorée.

Œuvres de Philippe Djian (suite)

Chez d'autres éditeurs

BRAM VAN VELDE, *Éditions Flohic*, 1993.

ENTRE NOUS SOIT DIT : CONVERSATIONS AVEC JEAN-LOUIS EZINE, *Presses Pocket*, 1996.

ARDOISE, *Julliard*, 2002.

DOGGY BAG, *Éditions 10-18*, 2007.

LUI, *Éditions de l'Arche*, 2008.

Composition CMB Graphic
Achevé d'imprimer
sur Roto-Page
par l'Imprimerie Floch
à Mayenne, le 26 janvier 2010
Dépôt légal : janvier 2010
Numéro d'imprimeur : 75623
ISBN 978-2-07-012212-7/Imprimé en France.

160560